La
CULTURE
BIOLOGIQUE

Cet ouvrage a été originellement publié par
Storey Communications Inc.
Schoolhouse Road, Pownal
Vermont 05261

sous le titre:
ROSES LOVE GARLIC

Publié avec la collaboration de
Montreal-Contacts / The Rights Agency
C.P. 596, Succ. «N»
Montréal (Québec)
H2X 3M6

LES ÉDITIONS QUEBECOR
une division de Groupe Quebecor inc.
7, chemin Bates
Suite 100
Outremont (Québec)
H2V 1A6

© 1983, Storey Communications Inc.
© 1988, Les Éditions Quebecor pour la traduction française
© 1992, Les Éditions Quebecor pour la réédition

Dépôt légal, 2e trimestre 1992
Bibliothèque nationale du Québec
Bibliothèque nationale du Canada
ISBN : 2-89089-461-4
ISBN : 2-89089-899-7

Distribution : Québec-Livres

Coordonnatrice à la production : Manon Boulais
Réalisation graphique de la page couverture : Robert Mommaerts
Photo de la page couverture : Image Bank, Birney Lettick

Impression : Imprimerie L'Éclaireur

La
CULTURE
BIOLOGIQUE

Louise Riotte

TRADUIT
DE L'ANGLAIS
PAR
ROBERT PICARD

Le compagnonnage
entre les fleurs et les légumes

Les **Éditions**
Quebecor

TABLE DES MATIÈRES

INTRODUCTION

Les fleurs, des sauvages aux hybrides les plus raffinées, sont des alliées de prédilection chez les peuples des quatre coins de l'univers. Choyées, pour la plupart, à cause de leur apport décoratif, un bon nombre d'entre elles sont utilisées à des fins médicinales ou pour faciliter la croissance ou la résistance aux maladies d'autres fleurs.

Certaines fleurs ou plantes florifères sont aussi des sources d'alimentation. Parmi ces dernières, on compte pratiquement tous les grains, les fruits et les légumes. Nous mangeons les racines des betteraves et des carottes, les feuilles de laitue, les graines de haricots et de pois, les fruits des pommiers et des pêchers et les jeunes tiges d'asperge — toutes des parties des fleurs. Et les artichauts, le brocoli et le chou-fleur sont des grappes sous-développées des fleurs. Même les animaux dont nous mangeons la chair   bêtes à cornes, moutons et porcs — se nourrissent de plantes florifères.

Nous avons appris de nombreuses façons d'utiliser les plantes. Les fleurs de pissenlit et de baies de sureau peuvent servir à faire du vin. Les boutons de giroflier rehaussent le goût de nombreux mets. Les boutons du câprier s'emploient comme condiment.

Plusieurs espèces de fleurs sont recherchées pour leur fragrance. L'odeur des fleurs couvre la gamme des parfums, des plus délicats aux émanations nauséabondes de la charogne.

En général, les fleurs ont besoin du sol pour pousser, mais plusieurs croissent dans les arbres ou flottent sur les lacs et les cours d'eau. On trouve même de belles fleurs dans les déserts chauds et arides. Pendant et après la saison des pluies, elles surgissent comme par magie et produisent des graines en vue d'une prochaine germination. À peu près les seules régions sans fleurs sont l'Arctique et l'Antarctique.

Certaines fleurs aquatiques sont tellement minuscules qu'on ne peut les voir qu'au microscope, alors que la rafflésie géante, la fleur la plus énorme du monde (Malaisie, Indonésie), s'étale sur trois pieds!

Les fleurs sont généralement classifiées selon la durée de leur cycle de vie. Le cycle des annuelles n'est que d'un an. Celui des bisannuelles est de deux ans, mais elles fleurissent tard la deuxième année. Les vivaces vivent plus de deux ans et fleurissent au cours de l'année qui suit leur plantation.

Les arbres et les arbustes qui produisent des fleurs vivent pendant plusieurs années. Certaines plantes, telles que le lis d'un jour, ont des fleurs pendant une journée seulement. Et de nombreuses fleurs, en plus d'être comestibles, renferment des vitamines et des minéraux. Les fleurs de l'églantier et les violettes sont très riches en vitamine C.

À cause d'une si grande diversité, il est difficile de définir une *fleur*. Le mot peut signifier soit la fleur elle-même, soit le plant en entier. La première acception est celle des botanistes. Ils appellent tout le plant — la fleur, la tige, les feuilles et les racines — une plante à floraison. Ainsi, les herbes, les roses, les lis, les pommiers et le chêne sont tous des plantes à floraison.

LES FLEURS COMPAGNES

Le compagnonnage n'est pas une forme de magie. Il est simple, pratique, et il fait appel à des facteurs connus pour l'élaboration d'un jardin de fleurs ou de légumes. Il se pratique sous une forme ou sous une autre depuis pratiquement les premières périodes de l'histoire de l'agriculture.

Les premiers colons venus d'Europe furent témoins de la plantation en même temps du maïs et de la citrouille, par les Amérindiens. En Hollande, dans les années 1800, on plantait souvent une bordure de chanvre (cannabis) autour des champs de choux pour éloigner les papillons de choux blancs. La nature elle-même cultive avec succès diverses plantes *compagnes*. Au lieu d'isoler certaines espèces ou variétés, elle les place souvent côte à côte. Elles deviennent ainsi une source d'ombrage et servent de tuteurs ou de fournisseurs de paillis ou d'aliments pour le sol. Elles peuvent même repousser d'autres plantes, empêchant l'invasion d'espèces trop robustes ou agressives.

Les légumes tels que le trèfle et la luzerne ont depuis longtemps été utilisés par les cultivateurs pour enrichir le sol en azote. L'azote qu'on retrouve dans les légumes et autres plantes n'est pas immédiatement disponible pour les plantes avoisinantes, mais il est libéré à la suite de la mort d'une portion ou de la totalité du légume, et il s'incorpore alors au sol. Dans les jardins de fleurs, les lupins et d'autres plantes de la famille des haricots accomplissent la même tâche.

Quelques plantes compagnes offrent des avantages mécaniques; les racines de grandes plantes peuvent parfois ameublir le sol au profit des plus petites et rendre la pénétration de leurs racines plus facile, surtout dans un sol compact. Les racines pivotantes et profondes des pissenlits font remonter les minéraux près de la surface pour les plantes qui y croissent.

De grandes plantes (rose trémière, tournesol) sont une source d'ombrage et d'humidité pour leurs petites voisines et elles les protègent contre le vent. Dans la nature, de petits arbustes peuvent protéger le tronc d'un arbre contre les bêtes. En même temps, l'arbre, à cause de son ombrage, offre aux arbustes une protection contre l'invasion des mauvaises herbes.

Un autre atout du compagnonnage, c'est la compétition contrôlée. La culture d'une bordure de fleurs vivaces constitue l'une des formes de compagnonnage les plus complexes. Le jardin est conçu non seulement en fonction des coloris, de la texture, de la hauteur et de la succession des floraisons, mais aussi de la compétition contrôlée par l'espacement et la variation des hauteurs. Les plantes plus petites sont protégées par les plus grandes, mais il importe aussi de porter attention aux plantes dites agressives, qui, si elles ne sont pas contrôlées, peuvent repousser celles qui croissent plus lentement.

Nous avons aussi appris qu'il est imprudent de cultiver ensemble des plantes qui risquent d'être attaquées par les mêmes ravageurs et les mêmes maladies. Les colombines, dont sont friandes les araignées rouges, ne devraient pas être plantées près d'autres fleurs ou tomates que les mites d'araignées aiment trouver sur leur menu.

Nous savons aussi que certains arbres exsudent, à travers leurs racines, des substances toxiques qui inhibent la germination de leurs propres semis. C'est leur façon naturelle de réduire ou d'éliminer la compétition. Par ailleurs, les exsudations des racines de dahlias sont utiles contre certaines espèces de nématodes et protègent d'autres fleurs voisines.

De nombreuses plantes de rocailles peuvent aussi être considérées comme compagnes parce qu'elles survivent bien en terrains plutôt secs. Ce sont les facteurs de l'environnement qui en font des compagnes.

Les citrouilles et le maïs, comme le savaient les Amérindiens, s'entendent bien ensemble parce qu'elles s'adaptent bien aux mêmes conditions et leurs taux de croissance leur permettent de se partager équitablement la lumière, l'eau et les éléments nutritifs. Les plantes qui aiment les mêmes conditions de croissance, mais qui occupent des lits de sol différents, font de bonnes compagnes.

Il existe beaucoup d'autres exemples de compagnonnage. Certaines plantes ne poussent que si le semis d'une autre plante est placé dans le même pot *Indian paintbrush*. La pratique usuelle est d'utiliser le *Bouteloua gracilis*.

Passons maintenant aux plantes et aux fleurs les moins communes, cultivées ou sauvages, qui solliciteront votre préférence.

A

ABEILLES. Il est dit qu'une goutte de nectar exige trois voyages de l'abeille à la ruche. Une livre de miel équivaut donc à 25 000 voyages pour en transporter les matières premières.

Les plantes servant à la production du miel sont: le trèfle, la moutarde, le chou, le sarrasin, l'épilobe, le coton, le mesquite, la verge d'or, l'acacia, le bleuet, le saule, l'érable, le tilleul, le robinier, le poirier, le prunier, le pommier et le cerisier.

Presque toutes les fleurs simples produisent une certaine quantité de nectar, les unes plus que les autres. L'apiculteur n'aura qu'à s'informer.

De plus, tous les petits fruits sont précieux, surtout la groseille à maquereau, du fait de sa floraison hâtive. Et après avoir été visités par les abeilles, ces fruits connaîtront une plus grande profusion.

Il ne semble pas que ce soit le parfum des fleurs qui attire les abeilles. En fait, elles sont surtout attirées par les fleurs bleues, lesquelles sont habituellement sans odeur.

On dit qu'une façon d'éloigner les abeilles consiste à se oindre du jus amer de la rue, une herbacée vivace à fleurs jaunes.

On répète aussi que la fleur de saule, la fleur de la passion et le tournesol ont un effet d'intoxication sur les abeilles.

ACACIA (*Acacia*). Ces arbres et arbustes tendres, au feuillage ornemental, s'agrémentent de fleurs attrayantes au printemps.

Elles peuvent se cultiver à l'extérieur si le climat est doux. Certaines espèces semblent reconnaître les fourmis qui veulent dérober leur nectar: elles se referment à leur approche et ne se rouvrent que lorsque leurs tiges sont suffisamment recouvertes de rosée pour empêcher la montée des fourmis. Cette plante possède même le talent de recruter les services de certaines fourmis protectrices, les gavant de nectar en retour de leur geste de protection contre d'autres insectes et mammifères herbivores.

ACCENTUANTES, PLANTES. Ces plantes, seules ou en petits groupes, ajoutent une note particulière au jardin, et cette contribution provient de leur couleur distinctive ou de leur forme. Pour éviter la monotonie dans une bordure vivace, parsemez-en une espèce grande et rigide ou avec feuillage tirant sur le gris. Ces points d'exclamation dans le jardin interrompent la monotonie du vert.

ACORUS CALAMIS. Cette racine alcaloïde tue les insectes par contact, même si elle est comestible pour les humains. Elle pousse habituellement dans les marais ou le long des ruisseaux.

ADONIS. ADONIDE DE L'AMOUR. Cette fleur tire son nom d'Adonis, le bien-aimé de Vénus. Selon la légende, cette plante aurait surgi du sang d'Adonis après qu'il eut été mortellement blessé par un sanglier. Plantez des annuelles et des vivaces en bordure, à l'avant et dans la rocaille.

Les fleurs, jaunes ou rouges, ont de cinq à seize pétales. La plante appartient à la famille des Renonculacées.

Fukuju-Kai. Un bijou récent de l'horticulture japonaise.

AESCULUS PAVIA. Les fleurs de cet arbuste attirent et tuent le scarabée japonais.

AGROSTEMMA GITHAGO. NIELLE. C'est une vilaine mauvaise herbe qui pousse dans les champs de céréales, surtout en hiver. Annuelle, sa propagation se fait par graines. Ses graines se mêlent au grain au cours de la récolte et du battage et, à cause de leur effet vénéneux, elles gâtent le grain pour la pâture et la farine. Ces graines noires sont particulièrement vénéneuses pour les moutons, les porcs, les lapins, les oies, les canards et la volaille. La paille devrait faire l'objet d'une bonne vérification pour déceler leur présence et éviter qu'on les donne en pâture aux animaux.

AJUGA. BUGLE.   Sert surtout à la création de jolis tapis de verdure. *A. reptans* var. *metallica crispa* est particulièrement jolie plantée en petites pièces entre les variétés vertes. Son feuillage est pourpre foncé et les fleurs bleu foncé. Elle croît à l'ombre mais préfère le plein soleil. *A. reptans* (Pink Beauty) a des fleurs délicates verticillées roses en mai et juin. *A. pyramidalis*, plus grande que les autres, a un feuillage vert foncé et des fleurs bleues avec bractées pourpres.

ALL AMERICA.   Pour mériter ce titre, une nouvelle variété de graine doit être essayée à trente endroits différents à travers le pays, chacun ayant un climat et un sol différents. Seules les graines qui croissent bien et présentent une amélioration distincte en comparaison avec la variété la plus proche sont dignes de cette citation.

ALLÉOPATHIE.   Certaines plantes libèrent dans le sol des substances chimiques qui sont toxiques pour d'autres plantes. On porte de plus en plus d'attention à ce phénomène comme moyen de contrôler les mauvaises herbes. Le soi-disant *soft chaparral* est un exemple d'alléopathie. C'est une association unique d'arbustes et d'arbres à feuilles persistantes dans les régions semi-arides de l'ouest de l'Amérique du Nord. Ne dépassant pas huit pieds de haut, ces fourrés d'arbres et d'arbustes rabougris ont la capacité étonnante d'envahir les prairies et de s'encercler, sur une largeur de trois à six pieds, de douves sèches de sol à découvert.

Les savants ont établi que les feuilles de ces plantes xérophytiques (qui aiment les climats arides) libèrent dans l'air ambiant des composés chimiques odoriférants appelés térébenthènes. Ces derniers, qui s'accumulent plus rapidement pendant la saison sèche, sont absorbés par le sol, autour des arbustes, en quantités suffisantes pour inhiber la germination et la croissance des plantes avoisinantes. Les térébenthènes les plus communément connus sont le camphre, la colophane, le caoutchouc naturel et la térébenthine.

ALLERGIES, VICTIMES D'.   Linda Alpert a développé un jardin témoin anallergique à l'extérieur de la Tucson Medical Center Allergic Clinic. Son jardin présente plusieurs jolies plantes qui peuvent être cultivées en régions désertiques sans ajouter au taux de pollen. Il est d'autant plus attrayant que les fleurs qu'elle a choisies requièrent très peu d'eau.

Les arbres recommandés comprennent le «Saule du désert» *(Chilopsis linearis)* et le lysiloma, parfois appelé fougère du désert. Les deux ressemblent à de la dentelle à floraison attrayante et atteignent une hauteur d'environ vingt-cinq pieds.

On compte parmi les arbustes de choix le cassier, le jojobe et le «Texas ranger» *(Leucophyllum)*. Les couvre-sol à fleurs comprennent la primevère du désert (espèce *Oenothera*) et la verveine du désert *(Verbena Wrightii)*. Si l'on veut des fleurs à longueur d'année, il y a la marguerite indienne *(Melanpodium leucanthum)*. Comme on pourrait s'y attendre, il existe un assortiment de cactus, d'agaves et de yuccas dont plusieurs sont remarquables par la beauté de leur floraison.

ALLIUM Ail. L'AIL *(Allium sativum)* et les roses s'aident mutuellement, comme le font d'autres membres de la famille des oignons, tels l'échalote, l'oignon, le poireau et la ciboulette.

Les oignons à fleurs sont de la famille du lis (Liliacées), mais il y a des alliums d'ornement qui sont plus décoratifs s'il côtoient des roses, tout en offrant une excellente protection contre les pucerons et autres ravageurs. *A. senescens glacum* est une plante basse nouvelle à feuilles bleu argenté qui se recroquevillent et se tordent dans un style rappelant l'art japonais. Les ombrelles de deux pouces d'un rose discret croissent à profusion en août et septembre. En plus de constituer un excellent couvre-sol protecteur, cette plante figure bien le long des murs de pierre ou devant la bordure. À ses qualités utilitaires, ajoutez sa dureté et sa tolérance à la sécheresse. Laissez une distance de dix à douze pouces entre les graines lors de la plantation.

L'ail protège les roses contre le mildiou et la tache noire. Il repousse aussi la taupe. Voici quelques services bénéfiques que rend la famille des oignons:

Oignon. Il repousse la piéride du chou et aide tous les membres de la famille du chou.

Ciboulette. Bonne compagne des arbres fruitiers et des tomates.

Ail. Ennemi des perceurs d'arbres fruitiers.

On rapporte que, dans l'antiquité, les membres de cette famille avaient une telle valeur qu'ils servaient de salaire aux bâtisseurs de pyramides. En plus d'être bons pour la santé, certains membres de la famille des oignons, tel l'ail, servent, à ce que l'on dit, à préserver un teint de jeunesse. Un mélange d'ail haché menu et d'eau, vaporisé sur les plantes, en éloigne les insectes et autres ravageurs. L'addition d'une cuiller à thé d'huile végétale permet à ce mélange d'adhérer aux fleurs et au feuillage. Cela provient, dit-on, de la qualité antibiotique de l'ail.

L'ail peut s'acheter sous forme désodorisée. D'après un spécialiste du cuir chevelu, le massage à l'ail peut restaurer la pousse des cheveux.

À elles seules, les vapeurs de l'ail écrasé sont assez fortes pour tuer certains microbes. Il a aussi un effet thérapeutique sur les maladies de poumons des bêtes.

ALOE VERA. Aloès. La fleur de cette plante médicinale de la nature, avec sa queue très longue et ses toutes petites fleurs, est plutôt insignifiante. La plante, qui compte plus de 200 espèces, est un légume appartenant à la famille du lis et de l'oignon.

Les feuilles coupées exsudent un jus qui peut servir de pansement aux branches taillées des arbres. Les qualités curatives de l'aloès sont maintenant largement reconnues et ses extraits entrent dans la préparation de divers cosmétiques. Il est surtout reconnu pour son action curative sur les brûlures. Son usage interne est aussi curatif.

ALPINES, FLEURS. Ces plantes connaissent l'arrivée du printemps avec une telle précision qu'elles se percent un chemin en montant dans les congères tardives, développant leur propre chaleur pour faire fondre la neige. On trouve le *Stellaria decumbens* à 20 130 pieds dans les Himalayas.

ALTHEA ROSEA Rose trémière. Originaire de la Chine, cette herbe vivace est habituellement traitée comme une bisannuelle dans nos jardins. Ses racines sont adoucissantes et émollientes, donc utiles comme remèdes diurétiques et contre le rhume. Le nom générique vient du grec *altheinein*, qui signifie guérir. Un onguent formé des feuilles broyées dans de l'huile soulage des piqûres d'abeille.

AMARANTHUS. Amarante. C'est le nom commun d'une famille qui comprend à la fois des mauvaises herbes et des plantes de jardin. La famille est surtout constituée d'herbes. Le nom provient d'un mot grec qui signifie «qui ne se fane pas», parce que les fleurs, même séchées, conservent leur couleur.

Un membre de la famille, Celosia, est souvent cultivé dans les jardins et leur apporte de vives couleurs.

AMARYLLIS. De jolies plantes qui ressemblent au lis et qu'on cultive habituellement à l'intérieur.

Le pot dans lequel est plantée l'amaryllis ne doit pas être beaucoup plus grand que le bulbe. Couvrir de sol seulement un tiers du bulbe. L'amaryllis présente ses plus jolies fleurs en pot.

AMORPHA CANESCENS. INDIGOTIER Arbuste à feuilles caduques, avec d'étroits épis de jolies fleurs minuscules pourpres, en fin d'été. À cause de sa racine pivotante profonde, il ne craint pas la sécheresse. Plantez-le en plein soleil ou dans un endroit partiellement ombragé. *Amorpha fructicosa* est semblable mais beaucoup plus volumineuse, avec d'attrayantes fleurs en grappes. Les papillons en raffolent.

ANAGALLIS ARVENSIS. PIMPRENELLE. Les petites fleurs bleu clair, en forme d'étoile, de cette annuelle tapissante se referment à l'arrivée du mauvais temps. Semez-la au printemps, en plein soleil, dans un sol pauvre et sablonneux. La floraison se produit de mai à août.

AMSONIA TABERNAEMONTANA, SALICIFOLIA. Cette vivace rare et peu connue peut être utilisée comme spécimen ou plantée sur le devant d'une bordure herbacée. Ses tiges arquées et élancées portent des feuilles étroites et luisantes et, en mai et juin, des grappes de petites fleurs en forme d'étoile, d'un bleu acier étrange. La plante pousse au soleil, mais elle préfère l'ombre partielle, surtout dans les climats chauds. Elle est très résistante au vent, croît lentement, n'est jamais ennuyée par les insectes ou les maladies, et a rarement besoin de division ou de tuteurage.

ANCHUSA. Buglosse. Ce nom provient d'un mot grec qui signifie peinture cosmétique ou teinture. Ce devait être possiblement le colorant des fleurs bleues dont se servaient les femmes grecques en guise de fard à paupières. Certaines bisannuelles et vivaces du genre font bien ressortir les bordures.

Les jolies plantes délicates de *A. capensis* rehaussent l'aspect d'un jardin lorsqu'elles sont plantées en larges bandes. Le bleu de la variété Blue Bird est le plus vif de toutes les fleurs.

Les botanistes prétendent que ses tiges velues ont pour objet d'empêcher les fourmis et autres insectes de voler le nectar qui attire les insectes volants pollinisateurs.

ANEMONE NARCISSIFLORA. Anémone. On la trouve dans les prés ouverts, sur les flancs des coteaux et dans la toundra alpine. Ses fleurs, dont le dos des pétales blancs est souvent teinté de bleu, apparaissent en ombrelles terminales feuillues. Attention: certains membres de cette famille contiennent l'alcaloïde *anemonine* qui cause l'irritation et l'inflammation chez les moutons qui les mangent.

La fleur des champs, *A. patens*, est une des premières à floraison printanière. En forme de clochette, de deux à trois pouces de largeur, elles apparaissent avant le feuillage. Elles servent parfois à la teinture des oeufs de Pâques.

En Russie, l'anémone des prairies sert à la teinture verte des oeufs de Pâques. Elle présente une des premières floraisons printanières.

ANGELICA ARCHANGELICA. Angélique. Cette plante décorative à grand étalement est la plus grande des herbes de jardin. Elle est bisannuelle, mais elle vivra de nombreuses années pour autant qu'on la garde coupée. Une fois montée en graine, elle meurt. Ses racines et ses feuilles ont des propriétés médicinales. On l'utilise en confiserie, en pâtisserie et pour la préparation des liqueurs. Les graines sèches ne germent pas bien.

ANNUELLES ROBUSTES. La robustesse des annuelles a trait à leur capacité de résister au froid. Ce terme englobe les premières à planter au printemps et celles qui survivront durant les journées fraîches de l'automne.

Les pensées sont en tête de liste. Viennent ensuite les giroflées, les mufliers et les soucis.

Il y a aussi celles qui sauront soulever votre enthousiasme du début du printemps jusqu'aux gelées successives de l'automne: le pied-d'alouette, le pavot, la centaurée, l'oeillet, le phlox, la primevère, la cinéraire, l'oreille de souris et l'oeillet des fleuristes.

ANTHEMIS. *Anthémis.* Le nom vient du grec *anthemon*, fleur, à cause de sa floraison abondante. Utilisez ces vivaces pour la bordure ou la rocaille.

Les infusions préparées avec les fleurs de *A. nobilis* (camomille) ont des propriétés antispasmodiques, stomachiques et réduisent la fièvre. Elles sont aussi efficaces contre un bon nombre de maladies de plantes, surtout les jeunes. Elles se préparent en faisant tremper les fleurs séchées dans de l'eau froide pendant une couple de jours.

Il ne faut pas confondre *A. cotula* (fenouil de chiens) avec la vraie camomille. D'ailleurs, l'odeur de la fenouille est fétide et le centre de la fleur est solide, alors que celui de la camomille est creux.

ANTHURIUM. Ces plantes de serre, qui viennent surtout de l'Amérique tropicale, appartiennent à la famille de l'Arum. On les cultive pour les étonnantes spathes qui accompagnent leur inflorescence au cours du printemps et de l'été, et pour la qualité ornementale de leur feuillage. Le nom est dérivé de *anthos*, fleur, et de *oura*, queue, à cause de la fleur qui ressemble à une queue au centre de la spathe. Quant à moi, elle me fait penser plutôt au nez de Pinocchio!

Une des espèces les plus magnifiques est le *A. veitchi*, dont les feuilles, d'un vert métallique, ont de deux à quatre pieds de longueur.

ANTIRRHINUM. Muflier. Le nom vient du grec *anti*, semblable à, et *rhinos*, mufle, et décrit bien la forme curieuse des fleurs. Les diverses espèces sont toutes vivaces. Deux variétés peu connues, *A. asarina* (jaune), et *A. glutinosum* (crème et jaune), conviennent bien pour les bordures et les rocailles.

APHIS. Pucerons. Petits insectes suceurs, de couleurs très variées, qui envahissent fréquemment de nombreuses plantes cultivées, d'extérieur et d'appartement. Ils attaquent celles-ci vers la fin de l'hiver, alors que la résistance de ces plantes est plus faible. La coccinelle avec sa larve étrange est toujours à leur affût et cette même larve aide à les garder sous contrôle. La répression des pucerons s'effectue aussi à l'aide de l'ail, de la ciboulette (et autres alliums), de la coriandre, de l'anis, de la capucine, du pétunia, du pouliot, de la menthe verte, de l'aurone et de la tanaisie.

AQUILEGIA. ANCOLIE. Ces plantes vivaces robustes portent des fleurs à long éperon de très belles couleurs, de mai à juillet. Elles appartiennent à la famille des boutons d'or (Renonculacées). Le nom est dérivé de *aquila*, aigle, à cause des éperons des pétales.

Les ancolies viennent bien en terre ordinaire de jardin, sous ombrage partiel, et leur propagation s'effectue facilement par graines semées au printemps. Mais il faut les laisser seules: aucun compagnonnage avec d'autres fleurs, et l'araignée rouge les trouve fort attrayantes. Cependant, l'oiseau-mouche trouve leurs clochettes rouges et jaunes irrésistibles.

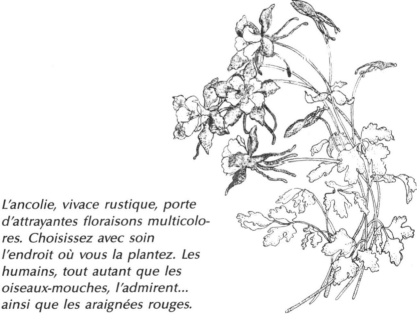

L'ancolie, vivace rustique, porte d'attrayantes floraisons multicolores. Choisissez avec soin l'endroit où vous la plantez. Les humains, tout autant que les oiseaux-mouches, l'admirent... ainsi que les araignées rouges.

ARAIGNÉES. Même si l'étiquette de la bombe aérosol indique que le produit tue les araignées, cela ne veut pas dire qu'il faille le faire. Les araignées sont de bons prédateurs. Ce sont des petites bêtes plutôt extraordinaires — comme l'agile araignée crabe, nommée à cause de son habileté à galoper de côté et à reculons. Le petit chasseur possède la faculté de changer de couleur pour se camoufler dans la végétation.

21

Les araignées jouent un rôle important lors d'infestations de sauterelles.

ARBRES. Les couleurs automnales des arbres font toujours les délices de ceux qui les contemplent. Pensons aux érables argentés, rouges et à sucre; aux chênes rouges et blancs; au bouleau blanc.

Pour ce qui est des arbres florifères, il y a le robinier, le févier et le nouveau venu, l'acacia rose, à grandes fleurs rose intense. D'autres «fleurissants» sont le tulipier, le cerisier, le catalpa et le tilleul à petites fleurs très odoriférantes.

ARBRUS PRECATORIUS. RÉGLISSE INDIENNE. Cette plante est tellement sensible à toutes les formes d'influences électriques et magnétiques qu'elle sert de plante météorologique. Au cours d'expériences aux Kew Gardens de Londres, des botanistes ont trouvé en elle un moyen de prédire les cyclones, les ouragans, les tornades, les tremblements de terre et les éruptions volcaniques.

ARCTOSTAPHYLOS. Arbuste procombant à feuilles persistantes, dont les fleurs rose flamboyant apparaissent d'avril à juin. Les feuilles sont très utiles dans les traitements du diabète, de la maladie de Bright et de tous les troubles de reins. L'infusion se prépare en faisant bouillir une cuillerée à thé comble de feuilles séchées dans un demi-litre d'eau pendant trente minutes. En prendre une demi-tasse aux quatre heures.

ARISAEMA DRACONTIUM. ARISÈME. Le bulbe est doté de propriétés insecticides.

ARISTOLOCHIA SERPENTARIA. Une petite herbe vivace aromatique qui atteint une hauteur de huit à quinze pouces. Ses fleurs sont habituellement cachées sous les feuilles sèches. Elle sert d'antidote contre les morsures de serpent.

ARROSAGE AUTOMATIQUE. Lors d'un départ en vacances, les plantes peuvent s'irriguer d'elles-mêmes à l'aide de mèches insérées dans les orifices de drainage des pots et qui trempent dans un bac ou tout autre contenant rempli d'eau. Couvrir le contenant pour réduire l'évaporation.

ARTEMISIA. ARMOISE AMÈRE. Vivace robuste aux feuilles laineuses fortement amères. En pulvériser l'infusion sur le sol à l'automne et au printemps pour décourager les limaces, et sur les arbres fruitiers et les autres plantes pour chasser les pucerons.

ARTHRITE. La consommation de certains fruits, légumes et graines peut parfois aider à soulager les douleurs arthritiques. À suggérer: luzerne, infusion de graines de luzerne, asperges, céleri, cerises, colza, fenouil, groseille à maquereau, chou, jus de citron, laitue, limes, melons, mélasse, feuilles de moutarde, oranges, sauge, épinards, graines de tournesol, tangerines et cresson d'eau.

ASCLEPIAS. Asclépiade. Ces vigoureuses plantes érigées croissent dans des champs secs, sur les flancs des coteaux, dans les boisés et le long des chemins. On dit que leur lait enlève les verrues.

Des soixante espèces connues en Amérique, seul un petit nombre est cultivé. Les fleurs blanches ou roses se rassemblent en racèmes ronds. Les longues cosses à surface rugueuse renferment un grand nombre de graines, coiffées chacune de cheveux longs et soyeux. Ces cheveux sont parfois utilisés comme fond de montage de papillons et de fleurs séchées.

Une méthode utilisée jadis pour prendre les vers gris au piège consistait à placer des poignées d'asclépiades à tous les cinq rangs de culture et à les tasser du pied. Les vers se ramassaient dans ce matériel, d'où ils pouvaient être recueillis. On se servait aussi du trèfle et de la molène à cette même fin.

ASPARAGUS PLUMOSUS. Cette plante fragile, de la famille des liliacées, projette des branches comme des frondes de fougères, souvent recherchées pour les arrangements floraux. *A. sprengeri* est cultivée surtout en paniers suspendus. Les tiges filiformes portent de petites épines et sont recouvertes de cladodes. Ses petites fleurs blanches sont parfois suivies de baies rouges. *A. medeoloides*, le smilax des fleuristes, est habillé d'un minuscule feuillage dense.

ASPIDISTRA ELATIOR. Plante des marchands de vin, elle était la plus populaire à l'époque victorienne, mais elle céda graduellement la place au philodendron, au dracéna et au lierre. Elle tend, cependant, à reprendre sa place comme plante d'appartement à cause de la facilité de sa culture pendant de nombreuses années.

Les aspidistras viennent bien dans un endroit légèrement ombragé. La floraison, de couleurs magenta ou or, apparaît de décembre à mars. Comme «captives en pots», ces plantes produisent rarement des graines, mais leur multiplication peut se faire par division des racines.

ASTER FRIKARTII.   La floraison de cette plante est très abondante de juin à novembre. C'est un genre vaste et varié, avec environ 160 espèces natives de l'Amérique du Nord. Elle vient bien en sol bas et humide, ou le long des chemins, des cours d'eau et des marécages. Si elle envahit les pâturages ou les champs, c'est une indication d'un besoin de drainage.

ASTILBE.   Le nom semble dériver d'un mot grec signifiant «peu luisant», à cause de ses petites feuilles. Les vivaces conviennent bien aux plates-bandes herbacées et aux rocailles. Les nombreux cultivars modernes, *spiraea*, sont généralement les plus beaux.

ASTROLOGIQUES, ASPECTS.   Pendant des siècles, les fermiers ont labouré et planté en fonction des signes du zodiaque. Ces signes sont tout aussi efficaces en matière de culture des fleurs. Un bon almanach de jardinage vous donnera les dates plus précises, selon les régions du pays.

AURICULA. Oreille d'ours.   Le nom provient du latin *auricula*, oreille. La plante est ainsi nommée à cause des feuilles qui ressemblent à l'oreille d'une bête. Les soi-disant auricules alpines sont probablement dérivées du *Primula pubescens*, et celles que les fleuristes appellent auricules, de *Primula auricula*. L'auricule elle-même fait partie d'une trentaine d'espèces reconnues par les botanistes.

AUTOPROTECTION DES PLANTES.   Les plantes ont un instinct profond de survie et ont développé divers moyens d'autoprotection. Leurs armes mécaniques, ce sont les épines des roses, les aiguillons du chardon et les épines du cactus. Le sumac (quelques espèces) contient un poison chimique et l'ortie dégage des acides irritants.

AZALEA. Azalée.   Du point de vue botanique, toutes les azalées sont des rhododendrons, mais ce nom est réservé, par la plupart des jardiniers, aux azalées caduques à petites feuilles. Les azalées sont d'une beauté peu commune et leurs couleurs couvrent la gamme du rose, du rouge, du blanc, du jaune et du pourpre. Leurs longs filaments d'étamine s'étendent au-delà des pétales. Une longue cosse mince et velue contient les graines. Certaines feuilles sont étroites, alors que d'autres sont ovoïdes. Chez certaines azalées, les fleurs sont recouvertes de poils collants qui empêchent les fourmis d'atteindre le nectar sucré. Les plantes préfèrent un sol acide partiellement ombragé.

Les azalées sont un des délices du printemps. Elles fleurissent en mai et juin, et laissent voir une vaste gamme de couleurs.

AZOTE. Des colonies d'azotobacters se forment sur les racines de certains membres de la famille du haricot. Ces organismes prennent l'azote de l'air et le convertissent en nitrates qui demeurent dans le sol et l'enrichissent. Il est beaucoup plus avantageux d'encourager ces minuscules créatures à fabriquer des nitrates que d'utiliser des fumures chimiques. Elles ne demandent aucune rémunération pour leur travail et leur mort rend la terre plus productive. Pour augmenter les nitrates dans le sol, cultivez des pois et des fèves dans différentes parties du jardin, chaque année.

Puisque dans la famille des légumineuses toutes possèdent les mêmes propriétés, cultivez des pois sucrés et des lupins dans le jardin, pour la même raison. Ne brûlez jamais les racines des légumineuses à l'automne. Coupez-les plutôt et ajoutez-les au compost. Les petites nodules sur les racines contiennent de l'azote.

B

BALSAMORHIZA SAGITTA. Racine de balsamier. La poudre des tiges et des feuilles est quelque peu toxique pour les pucerons du pois. Les graines sont comestibles, et on peut les faire rôtir, les moudre et les mélanger avec de la farine pour faire du pain, d'après Nelson Coon.

BAMBOU. Les bambous sont des graminées énormes, dont un bon nombre ont des tiges plus larges qu'un homme et atteignent parfois une hauteur de trente pieds et plus. Si leur grâce est visible, leur étonnante force ne l'est pas. Ils ont servi à construire des maisons, à fabriquer des meubles, à ériger des ponts et des clôtures. Et, il va sans dire, nos vieux pêcheurs seraient fort dépourvus sans leur canne de bambou.

Une fois que les bambous ont fleuri et produit leurs graines, ils meurent, mais cela peut prendre de vingt à quarante ans. Même des boutures et des transplantations prises de la même génération, transportées en des endroits lointains, ne peuvent échapper à ce processus de maturité et de mort inévitable.

Outre les plantes tropicales, il existe des variétés rustiques. Même si elles meurent en hiver, leurs racines demeurent en vie et de nouvelles pousses apparaissent au printemps. Parmi celles-ci, mentionnons le *Sasapalmata (Arundinaria palmata)* et *S. variegata*. Une variété encore plus rustique est *S. p. nebulosa*.

BANALITÉS UTILES. La couleur des murs d'une maison peut affecter l'intensité de la lumière pour les plantes d'appartement. Le meilleur réflecteur de lumière ambiante est le blanc mat.

Les plantes dorment-elles? Oui, pendant une période qui s'appelle la dormance. Les cycles et les conditions atmosphériques les affectent aussi. De même, un bon nombre se referment et dorment pendant la nuit.

Vous voulez un beau coloris de jardin instantané? Essayez des annuelles empotées, comme des pétunias, des géraniums, de la sauge, des agérates, des zinnias et des soucis. L'effet sera plus attrayant si vous les plantez en taches de couleurs massives plutôt qu'en rangs de fleurs uniques.

Vous désirez plus de fleurs? Au milieu de l'été, plusieurs vivaces commencent une période de repos. Divisez-les alors pour obtenir de nouvelles plantes. Des candidats qui se prêtent bien à ce procédé sont la pivoine, l'iris allemand, le pavot oriental, le lis madonna, la pâquerette, le phlox et la colombine. La division de touffes est la méthode de multiplication végétative la plus simple. D'ordinaire, les plantes qui fleurissent au printemps et au début de l'été peuvent être divisées en fin d'été et au début

26

de l'automne. Celles qui fleurissent en été et en automne doivent être divisées tôt au printemps, avant l'apparition de nouvelles pousses.

La méthode consiste à déterrer la plante avec précaution, à la diviser en plusieurs parties et à la replanter. Ces parties de plantes vigoureuses servent à faire de nouvelles plantes.

Ne jetez pas aux vidanges les vieux bas-culottes. Ils sont utiles pour le palissage. Coupez-en les jambes et passez-les avec précaution sur les branches de cerisiers avant que ceux-ci ne mûrissent. Vous aurez alors des cerises qui n'auront pas été molestées.

Si vous faites du marcottage aérien, mettez de la sphaigne ou autre matière d'enracinement dans un vieux bas de nylon que vous placerez autour de l'incision. Le bas gardera la matière en place et les racines pousseront à travers sans difficulté.

Pourquoi certaines plantes survivent-elles, alors que d'autres meurent? Comme les humains, les plantes ne s'adaptent pas toujours à l'environnement comme elles le devraient. Certaines semblent avoir l'instinct de conservation, alors que d'autres ne l'ont pas.

BANANES, PELURES.   Plantez, ne lancez pas aux vidanges! Enterrez de petits morceaux de pelure autour de vos rosiers. Les pelures ont un apport de 3,25 % de phosphore et de 41,76 % de potasse. Mais ne forcez pas la nutrition; trois pelures par arbuste, à la fois, peuvent suffire. Conservez les restes en les congelant.

BAPTISIA AUSTRALIS.   Cette vivace d'un attrait unique sert de pierre angulaire dans les bordures. Ses feuilles conservent leur teinte bleu-vert tout l'été, et ses épis de fleurs bleu-indigo de neuf à douze pouces, semblables à des pois de senteur, apparaissent à la fin du printemps et durant l'été. C'est une excellente compagne du pavot oriental et elle se plaît dans un sol libre de chaux, si elle est exposée en plein soleil.

BEGONIA. BÉGONIAS.   Les bégonias sont divisés en trois groupes: bégonias tubéreux, bégonias à rhizome et bégonias à racine fibreuse. Certains sont cultivés pour leurs feuilles ornementales.

Tous les bégonias poussent bien en pots, en bacs de balcon ou en paniers suspendus. Consultez votre pépiniériste pour la recette du meilleur compost. L'atmosphère doit être humide et les plantes, protégées du soleil ardent. Les bégonias vont bien avec les achimènes en pots ou en boîtes: les deux demandent la même culture et fleurissent à l'ombre.

«BELLES BAIGNEUSES». Pour laver vos plantes d'appartement, mettez-les sous la douche, à eau tiède, pendant une minute, et laissez-les là pendant quelques heures pour permettre à l'excès d'humidité de s'échapper. Vous serez surpris de leur regain de vie, surtout les fougères.

BIOLOGIQUES, CONTRÔLES. Les coccinelles et les mantes religieuses font un bon travail dans les jardins de fleurs, mais saviez-vous que la larve du lampyre (mouche à feu) rend service aux jardiniers en se nourrissant de limaces et de limaçons? Les punaises assassines dévorent avec voracité les chenilles, les scarabées japonais et les cicadelles de feuilles. Les damoiselles se nourrissent de pucerons, de cicadelles et de petites chenilles.

BONSAÏ. Les bonsaïs sont des arbres miniatures cultivés en pots. L'objectif de l'art du bonsaï consiste à miniaturiser tous les éléments d'un arbre naturel. Au cours des générations, les Japonais ont établi des normes de formes et de tailles qui sont devenues graduellement les styles classiques de bonsaï. N'importe quel arbre ou arbuste, s'il est soumis à certaines contraintes, peut devenir un bonsaï.

Originaires de l'Orient, les bonsaïs sont maintenant répandus de par le monde. Quelques spécimens sont âgés de centaines d'années, mais rien ne vous empêche d'essayer de cultiver votre propre plante.

BORAGO OFFICINALIS. *Bourrache.* C'est le nom commun d'une herbe dont les feuilles et les fleurs servent à aromatiser le claret et autres breuvages auxquels il donne un goût proche de celui du concombre. Ses fleurs bleues séchées sont appréciées aussi pour la confection de bouquets de fleurs coupées. C'est une annuelle ou une bisannuelle qui se cultive facilement à partir de semis, au printemps, dans un sol ordinaire de jardin.

Utilisée depuis des siècles dans la préparation de liqueurs, on dit qu'elle produit un effet stimulant. Utilisez ses jeunes feuilles dans des salades, et ses fleurs comme garniture.

Cette plante préfère un endroit ensoleillé, dans une terre de jardin sablonneuse.

BOTANIQUES (drogues). Une grande variété de plantes, dont le bois de cèdre, sont utilisées pour la répression des mites.

D'autres servent à éliminer certains insectes qui détruisent les tissus, par exemple le camphre et la giroflée en poudre. D'autres encore sont utiles lorsqu'il s'agit de chasser les insectes qui accablent les animaux domestiqués. Des concentrations d'eau de pommes de terre avec lesquelles on frottera les bestiaux, et la giroflée sur les volailles et les chiens repousseront les poux. Une solution aqueuse d'armoise amère est utilisée lorsqu'il s'agit de baigner les petites bêtes pour les débarrasser des puces.

BOUTONS DE GÉROFLIER. *(Mytaceae).* C'est le nom donné aux boutons floraux d'un arbre tropical. Les fleurs purpurines sont cueillies avant qu'elles ouvrent. Rougeâtres lors de la cueillette, elles deviennent brun foncé une fois séchées. Ce sont des épices qui garnissent un délicieux jambon.

BOUTONS D'OR, FAMILLE DES (Renonculacées). Les sécrétions des racines de ces plantes empoisonnent le sol du trèfle en retardant la croissance des azotobacters. Le trèfle disparaît des prés où poussent les boutons d'or. À moins que le sol ne soit très riche, d'autres plantes ne survivent pas en compagnie de celles de cette famille. C'est une famille vigoureuse, mais elle ne vit que pour elle-même.

BOUTURES. Ce sont des portions végétatives de plantes utilisées pour la multiplication. Elles peuvent consister en des tiges complètes ou partielles, des feuilles, des bulbes ou des racines.

Une bouture de racine n'est que la racine, alors que les autres n'ont pas de racines au moment d'être coupées et placées en terre.

Pour assurer le succès, coupez les boutures lorsque les tissus sont en bon état. Préparez-les et placez-les dans une couche de multiplication appropriée, et gardez-les dans un environnement favorable jusqu'à ce qu'elles puissent se régénérer en nouvelles plantes.

Les boutures de certaines plantes, telles que la violette africaine, peuvent prendre racine dans l'eau.

Il est important de surveiller que les boutures ne sèchent pas avant l'établissement de nouvelles plantes. Ceci évite la perte par maladie et accélère la naissance de la nouvelle plante. L'accélération de ce processus peut s'effectuer par l'introduction d'hormones spéciales et de chaleur dans la couche.

BRACTÉES. Prises parfois pour des fleurs, ce sont de petites feuilles modifiées qui apparaissent à la base du pédoncule.

BROCOLI *(Brassica oleraceae).* Les pommes (fleurs) non encore ouvertes sont la partie comestible de la plante. Le brocoli s'entend bien avec des plantes telles que l'aneth, le céleri, la camomille, la sauge, la menthe poivrée et le romarin.

BROMÉLIACÉES. Saviez-vous que vous pouvez forcer une broméliacée à fleurir en dedans de cinq jours en la couvrant d'un sac de plastique accompagnée d'une pomme? Les broméliacées sont des plantes qui appartiennent à la famille des ananas.

Si l'espace disponible est limité, essayez des miniatures. Ma favorite est la cryptanthus. L'espèce connue sous le nom de *vivittatus minor*, par exemple, forme une rosette qui s'étale sur trois ou quatre pouces.

Les feuilles sont rayées sur la longueur et la couleur varie selon l'âge et les conditions de culture. Les fleurs blanches poussent au centre de la plante adulte.

BRUITS DE LA CIRCULATION. Les arbres et les haies assourdissent les bruits de la rue. Les plus efficaces sont les toujours verts denses, qui favorisent aussi l'intimité à l'année longue. La ciguë, l'if et le cèdre blanc sont un bon choix. Une taille judicieuse empêchera les branches inférieures de mourir; les bruits viennent habituellement au niveau du sol.

BULBES. On peut avoir des floraisons successives de bulbes depuis les perce-neige, tôt au printemps, jusqu'aux lis de la fin de l'été. Il existe des bulbes pour tous les goûts.

Plates-bandes et bordures. Essayez des jacinthes avec des marguerites anglaises en rose ou blanc, des pensées de couleurs préférées, ou des ne-me-touchez-pas de diverses couleurs. Les tulipes donnent un mélange de couleurs dans une plate-bande assez grande avec une bordure de pensées.

Rocailles. Les petits bulbes apportent des couleurs intéressantes en début de saison. En tête du défilé viennent les perce-neige, suivis des crocus dans des teintes de blanc, de jaune et de lilas, et par le petit iris reticulata pourpré foncé, avec nervures orange.

Forçage des bulbes pour floraison hivernale. Les plus faciles à faire fleurir, sans trop d'attente, sont les narcisses. Placez-les dans des bols de gravier et d'eau en septembre, et vous aurez des fleurs pour l'Action de grâces. Des départs plus tardifs prolongeront la saison.

Après la floraison, les bulbes printaniers devraient être dépouillés de leurs fleurs mourantes. Ne coupez pas toute la tige, pour éviter que la plante ne s'épuise à produire des graines. Avant de planter avec des annuelles pour l'été, tassez légèrement la terre entre les bulbes à l'aide d'une fourche à bêcher ou d'une houe.

Naturalisation des bulbes. Certains bulbes croissent et fleurissent pendant de nombreuses années dans des conditions naturelles ou «sauvages»; ils n'ont besoin que d'un sol fertile. Il suffit de consulter les catalogues pour faire son choix.

BUREAU, PLANTES DE. On trouve de plus en plus de plantes vertes dans les bureaux d'affaires. Les planificateurs d'espace et les décorateurs professionnels sont de plus en plus en demande. Leur tâche primordiale consiste à rendre un bureau fonctionnel et productif, et ils se rendent compte que les plantes peuvent contribuer à adoucir le milieu architectural.

Le choix des mauvaises plantes peut être une erreur coûteuse. Raison de plus de se confier à un spécialiste en la matière.

BUXUS. Buis. À cause de leur apparence élégante et de leur beau feuillage, ils sont précieux comme plantes ornementales. La plupart survivent bien dans tout bon sol de jardin, mais sont particulièrement utiles en terre calcaire. Plusieurs sont cultivés pour en faire des haies très basses et pour certains dessins ou mosaïculture.

C

CACAO. La source du chocolat est la graine de cacaotier. Ces arbres originaires de l'Amérique tropicale se cultivent depuis plus de 4000 ans.

Les chercheurs ont trouvé récemment que le cacao renferme des quantités appréciables de phényléthylanine, une substance produite par le cerveau humain lors de fortes émotions.

CALCEOLARIA. Calcéolaire. Cette vivace multicolore est tachetée d'orange, de jaune ou de rouge, avec des fleurs qui ressemblent à des bourses miniatures. La plante ne passe pas inaperçue dans des plates-bandes massives ou le long d'une pelouse ombragée.

CALENDULA. Souci à pot. Cette annuelle, avec ses fleurs jaunes ou orange, fait un arrière-plan agréable pour les pensées ou les ibérides. À planter en automne pour le coloris, au cours de l'hiver et du printemps. Elle constitue une bonne arme contre les insectes qui attaquent, entre autres, les asperges et les tomates.

Cette plante est populaire depuis des siècles. Durant l'ère des Tudor, on la surnommait l'herbe du soleil ou l'épouse du soleil.

CALTHA. POPULAGE DES MARÉCAGES. *Burpee's First Whites.* Selon le catalogue de Burpee, ce sont les soucis les plus universellement connus, un mélange de types blancs et presque blancs. Puisque les *First Whites* fleurissent tardivement, les gens de Burpee recommandent de les semer à l'intérieur de six à huit semaines avant de les replanter à l'extérieur. Leur hauteur est de vingt-huit pouces en moyenne.

CAMPSIS RADICANS. Cette plante grimpante, à port presque vertical, est très vigoureuse. Quoique originaire de la forêt, elle est souvent plantée dans les jardins. Les fleurs orange ou écarlates, de trois pouces de longueur, sont en forme de trompette, aux larges lobes étalés. Leur copieuse production de nectar attire beaucoup d'insectes. Certaines personnes sont allergiques à ses feuilles et peuvent attraper la dermatite en les touchant.

La bignone présente une florai-
son orange rougeâtre vif.

CANNA. B<small>ALISIER</small>.   Ces vivaces herbacées, originaires de l'Amérique tropicale et subtropicale, ont des tiges sans branches qui s'élèvent majestueusement d'une racine succulente. L'été, elles se recouvrent d'un grand feuillage ornemental et la floraison présente des couleurs éclatantes.

Les feuilles et les tiges ont des propriétés insecticides. Elles sont particulièrement utiles pour la fumigation des serres contre les pucerons, les fourmis et les mites. Placez des journaux dans une chaudière couverte d'un grillage de métal. Mettez une couche de paille sur le grillage comme tampon, puis les feuilles et les tiges. Allumez les journaux; les feuilles vont produire une épaisse fumée. Fermez bien la porte et attendez environ trente minutes.

CARNIVORES, PLANTES. P<small>LANTES INSECTIVORES</small>.   Ces plantes prennent les insectes au piège pour s'en nourrir. Elles vivent habituellement dans des endroits humides où il y a carence d'azote dans le sol. Elles doivent donc l'obtenir des corps des insectes en décomposition. À cette fin, elles sont pourvues de glandes et d'organes spéciaux qui émettent un fluide digestif. Certaines de ces plantes ont des fleurs dont les couleurs et les odeurs ressemblent à celles de la charogne. Ce qui concourt à attirer les insectes. La sarracénie a des feuilles tubulaires qui accumulent l'eau de pluie où les insectes se noient.

Si vous cultivez des carnivores en appartement, arrosez-les avec de l'eau distillée ou douce, pour prévenir l'accumulation de sels toxiques.

La dionée est une plante carnivore. Les deux lobes des feuilles emprisonnent brusquement et digèrent les insectes qui s'y posent.

CAROTTE SAUVAGE. *(Daucus carota).* Ses minuscules fleurs blanches sont exquises en compagnie de fleurs plus volumineuses dans des arrangements floraux. Si on la laisse produire des graines, elle peut devenir une peste, mais les graines peuvent s'incorporer comme condiments dans les soupes, les bouillons et le poisson cuit au four. Fraîches ou séchées, les graines sont un substitut passable de l'anis ou du cumin.

L'herbe est le prototype sauvage de notre carotte de table. Si elle se trouve en sol riche, la racine est douce et agréable au goût; en sol sablonneux et dur, elle est petite et dure.

La carotte sauvage est une mauvaise herbe rustique apparentée à la carotte domestique. Ses racines ne sont pas comestibles.

CARTHAME. C'est une plante aux fleurs grandes et attrayantes, présentant des couleurs allant du blanc au rouge écarlate. Sa valeur provient de l'huile et de la farine tirées de ses graines. L'huile est utilisée dans les régimes pour personnes souffrant de maladie du coeur et d'hypertension. Elle est une source précieuse d'acide linoléique. La farine sert de pâture au bétail.

CASTILLEJA. CASTILLÉJIE. Ces vivaces atteignent une hauteur de 18 pouces. Ses grandes bractées foliacées, voyantes, allant de l'écarlate à l'orange, entourent des fleurs insignifiantes.

Des parasites partiels de racines rendent difficile la transplantation de cette plante, mais elle peut être cultivée à partir de semis, si la graine d'une autre plante est mise dans le même pot. On croit qu'elle peut être parasitique sur les racines d'autres plantes. Elle vit une longue période de floraison et attire l'oiseau-mouche.

La période de floraison de la castillégie est longue. Cette plante est une des préférées des oiseaux-mouches.

CATALOGUES DE GRAINES.   Tout ce qu'on trouve dans ces catalogues est superbe, magnifique et résiste à quelque chose. Mais, comme dans une police d'assurance, il faut savoir interpréter les mots.

On peut se fier aux expressions telles que «se ressème elle-même» ou «aime le plein soleil».

«Croît à l'ombre» est sujet à interprétation. Cela signifie en réalité «lumière du soleil tamisée». Rares sont les plantes qui prospèrent en plein ombrage.

«Se naturalise bien» revient à dire que si vous lui donnez la moindre chance, elle va prendre le dessus.

«Cultivez en massifs de trois ou plus» s'accepte tel quel. Seules, de telles plantes passent inaperçues.

«Peuvent être divisées» veut dire que vous devez le faire, si vous ne voulez pas qu'elles étouffent.

«Une fois établies» signifie que vous risquez d'attendre longtemps.

CENTAUREA CYANUS. Centaurée bleuet.   Cette plante est, de fait, une mauvaise herbe qui a une grande valeur comme pourvoyeuse de miel pour les abeilles, même par temps sec. En sol calcaire, les bleuets sont bleus; en sol acide, ils présentent fréquemment des fleurs roses. Plus le sol est acide, plus ils tendent vers le rouge.

CERATOSTIGMA *(Plumbago larpentae).* Cette plante est l'une des vivaces qui vaut vraiment la peine d'être cultivée. N'atteignant qu'une hauteur de six à huit pouces, elle forme des tapis allant jusqu'à dix-huit pouces de largeur, solidement recouverts de racèmes d'un bleu intense en été et en automne. En même temps, l'intéressant feuillage coriace devient rouge acajou foncé. Cette plante convient bien comme couvre-sol ou sous les arbustes. Elle est extrêmement rustique.

CERASTIUM ARVENSE. MOURON À OREILLE DE SOURIS. Cette plante prend son nom de la forme de ses feuilles. La fleur est grande, blanche, en forme d'étoile. À cause de sa racine traçante, elle peut être nuisible dans les pâturages. Labourez et cultivez pour la tenir en échec.

CERCIS. GAINIER. Le gainier et le cornouiller fleurissent à peu près en même temps, ils vont bien ensemble, l'un rose et l'autre blanc éclatant. Membres de la famille des haricots, les gainiers sont aussi des arbres fixateurs d'azote.

CEREUS GRANDIFLORUS. CIERGE NOCTIFLORE. Aucune mention de fleurs noctiflores ne serait complète sans celle-ci, un cactus étrange des Indes occidentales. Ses tiges tordues et couvertes d'aiguillons donnent naissance la nuit à la plus spectaculaire des floraisons.

Vraiment noctiflore, souvent à minuit, cette jolie fleur au pédoncule en saxophone émet aussi une délicieuse fragrance. Les fleurs blanc cireux aux sépales d'un rose délicat sont d'une beauté extraordinaire.

CERISIERS SAUVAGES. Diverses chenilles dévorent le feuillage des cerisiers. Les entomologistes ont découvert que lorsqu'un insecte est privé de sa plante habituelle et apprend à se nourrir d'une autre, il ne reviendra jamais à la première. C'est donc dire que, si tous les cerisiers étaient détruits, les chenilles s'attaqueraient à d'autres arbres fruitiers. Et pis encore, elles ne reviendraient jamais aux cerisiers. À la lumière de cette découverte, il y a avantage à ne pas détruire les cerisiers sauvages, parce qu'ils servent de plantes pièges qui concentrent l'enthousiasme des chenilles sur une sorte de feuilles où leurs ravages sont moins nuisibles.

Elles ont des ennemis naturels qui aident à en contrôler la prolifération.

CESTRUM NOCTURNUM. JASMIN NOCTIFLORE. Ce membre de la famille de la morelle est cultivé pour ses fleurs noctiflores odoriférantes en forme de trompette. Les feuilles sont quelque peu ovales; le fruit, qui suit les fleurs, est petit et ressemble à une baie. Tous les cestrums sont extrêmement vénéneux.

CHARDONS *(Compositae).* Quoique choyés des papillons, les chardons n'ont jamais été des objets de prédilection des humains. Malgré leurs belles fleurs, leurs feuilles épineuses sont repoussantes. Ils sont riches en potassium (bons pour le compost) et auraient une valeur nutritive élevée si ce n'était de leurs épines. Dans les champs de céréales, ils accaparent la nourriture et l'humidité et, dans les pâturages, ils protègent les mauvaises herbes et contribuent de la sorte à leur prolifération.

Pour se débarrasser des chardons, il importe de choisir le moment opportun. Peu de temps après la pollinisation, coupez uniquement les têtes des fleurs et les plantes saigneront à mort.

Les chardons sont nuisibles dans les champs de blé et les pâturages. Ajoutez-les au compost. Ils sont riches en minéraux.

CHATS. Les chats aiment sans doute chasser les oiseaux, mais leur instinct de chasseurs les pousse aussi à éloigner du jardin les serpents, les souris, les rats, les sauterelles et les tarantules.

Les chats raffolent de la cataire. Vos meubles seront épargnés des égratignures, si vous les enduisez de rue.

CHELIDONIUM MAJUS. CHÉLIDOINE MAJEURE. On trouve cette plante ici et là dans les basses-cours, les pâturages et sur le bord des routes. Elle contient un jus jaune légèrement vénéneux utilisé jadis contre les verrues, d'où son surnom d'herbe aux verrues. Elle aurait une valeur médicinale pour les affections cutanées à cause de la qualité caustique de ce jus. On recommande aussi de faire une application quotidienne de jus frais sur les cors jusqu'à ce qu'ils guérissent, ou sur les blessures des chevaux. La culture et le coupage avant l'apparition des graines empêchent la chélidoine de se propager.

CHENILLES DE NOCTUELLES. Ces chenilles se nourrissent en grimpant le long des tiges pendant la nuit. Elles sont chassées par la tanaisie. Un collet placé autour de la tige des plantes nouvellement piquées, à deux pouces en dessus et en dessous du niveau du sol peut s'avérer efficace. Il arrive parfois que la plante soit coupée à l'intérieur du collet. Il faut alors creuser pour trouver la chenille avant de remplacer la plante.

Un paillis de feuilles de chêne ou de tan placé en rangées dans les plates-bandes et les allées éloigne aussi les chenilles, les limaces et les larves.

CHENOPODIUM ALBUM. CHÉNOPODE BLANC. Proche parent de l'épinard, il peut lui servir de succédané, même si c'est une mauvaise herbe. Il est beaucoup plus riche en vitamine C, et surtout A, que l'épinard. Il excelle surtout comme source de calcium.

Cette plante ajoute à la vigueur des zinnias, des soucis, des pivoines et des pensées lorsqu'elle est cultivée à côté d'eux. Elle améliore aussi le sol. Elle sert de refuge à la mineuse des feuilles mais, heureusement, elle est l'hôte de la coccinelle.

CHENOPODIUM AMBROSIOIDES. AMBROSINE. Certaines parties sont toxiques sous forme d'extraits ou de poudres pour certaines larves dévoreuses des feuilles.

CHLOROPHYTUM COMOSUM VARIEGATUM. Les fleurs de cette intéressante plante d'appartement originaire de l'Afrique du Sud sont souvent accompagnées d'une touffe de jeunes plantules à l'extrémité des inflorescences. Elle a besoin d'un bon éclairage, avec ou sans soleil, d'une pièce fraîche et d'une humidité modérée. La multiplication se fait par l'empotage des plantules individuelles. Les feuilles sont vertes avec des stries blanches.

CHOU D'ORNEMENT. BRASSICA CRISPA. Il est comestible en plus d'être beau et très coloré comme plante accentuante à l'extérieur. Il se cultive aussi en pots. Faites une bordure fleurie avec ces plantes au feuillage original. À l'arrivée des jours frais de l'automne, les feuilles frisées présentent de ravissantes colorations de violet, de rose, de crème et de vert.

CHOU-FLEUR *(Brassicaceae).* C'est la fleur sous-développée qui est la partie comestible. Saupoudrez avec *Bacillus Thuringiensis* pour chasser le papillon du chou.

CHRYSANTHEMUM *(Compositae).* Chrysanthème. Le nom provient du grec *chrysos*, or, et *anthemon*, fleur. Les nombreuses espèces comprennent des annuelles et des vivaces, dont certaines sont maintenant connues sous le nom de *pyrethrum*. Les chrysanthèmes sont les protecteurs des fraises. Ils peuvent eux-mêmes être protégés par pulvérisation. À cette fin, un produit tout-usage se prépare en broyant ensemble trois piments forts, quatre gros oignons et une gousse complète d'ail. Couvrir d'eau et laisser reposer pendant une nuit. Le lendemain, passer le mélange au tamis et ajouter assez d'eau pour faire un gallon. On peut s'en servir aussi pour les roses et les azalées.

La marguerite est une des fleurs sauvages favorites de l'Amérique du Nord. Elle est de culture facile et fait une excellente fleur coupée.

CHRYSANTHEMUM COCCINEUM. Pyrèthre. Cette vivace intéressante peut atteindre une hauteur de deux pieds, avec des fleurs de trois pouces de diamètre qui ont la forme de marguerites, dans une large gamme de coloris. Broyez les fleurs, fraîches ou séchées, dans de l'eau (ou utilisez un malaxeur). Vous avez alors un insecticide organique qui, en plus de vous débarrasser des pucerons et autres insectes à corps mou, est le moins toxique pour l'homme, les bêtes et les plantes. Il est aussi utile, en poudre, pour combattre les insectes nuisibles chez les animaux favoris et les bêtes de la ferme.

CHRYSANTHEMUM PARTHENIUM. Camomille grande. L'une des préférées pour les bordures, la grande camomille présente de petits boutons blancs de trois quarts de pouce et un feuillage jaune à l'odeur caractéristique forte et amère.

Cette petite fleur semblable à la marguerite est parfois incorrectement appelée pyrèthre. Toutefois, comme celle-ci, elle chasse les punaises et peut être dispersée à travers le jardin. Elle pousse en touffes, devient parfois buissonnante avec un étalement allant jusqu'à trois pieds. C'est une fleur sans caprices et sans préférence de sol, dont la floraison est abondante tout l'été, et qui n'hésite pas à se ressemer.

La grande camomille est l'une des préférées pour les bordures. Elle présente de petits boutons blancs et un feuillage jaune dont l'odeur est forte et amère. Les anciens croyaient qu'elle pouvait éloigner les insectes.

CICADELLE.   Elle est chassée par le pétunia et le géranium.

CITROUILLE.   Les citrouilles sont agréables à cultiver et à manger. À l'époque des pionniers on les tranchait et les suspendait aux plafonds pour les faire sécher avant de les entreposer pour l'hiver. Elles servaient à la confection de soupe, de bouillon, de pouding, de pain, de crêpes, de sauces et de tartes.

Les citrouilles sont jolies en fleur et vives en feuilles. Pour les décorer pendant qu'elles sont encore sur la vigne, commencez par les graines. Pour les petits enfants, choisir le Petite Sucrée. La Jack-O'-Lantern est de grosseur moyenne et la Big Max peut atteindre 100 livres.

En mûrissant, elles passent du vert au jaune orange. Alors qu'elles sont encore vertes et presque rendues à maturité, vous pouvez les décorer au couteau à une profondeur de 1/8 pouce dans la chair.

Après quelques jours, il se forme une callosité le long des lignes coupées et les dessins commencent à se soulever, devenant de couleur pâle après le mûrissement. Il n'arrive aucun mal à l'intérieur du fruit.

CLEMATIS VITALBA. CLÉMATITE. Cette grimpante, de même que le chanvre, la coumarine, l'*Atractylia ovata* et une décoction de persicaire, s'employait pour éloigner les charançons du grain. Protégez le grain en entreposage avec une couche de cacao, de citron ou de mohwa. L'hybride clematis à grandes fleurs est une des plus jolies grimpantes connues, et sa floraison est abondante et de couleurs variées.

CLONE. Ce n'est que récemment que le mot paraît aux nouvelles. Cette méthode de multiplication végétative, cependant, se pratique depuis des milliers d'années. Le mot grec dont ce terme est dérivé signifie jeune pousse.

Je me suis servi de cette méthode, par exemple, avec mes oignons. Je plante les oignons qui ont germé à l'automne et, au printemps, j'en récolte cinq ou six par sujet.

CLÔTURES. Robert Frost disait: «Les bonnes clôtures font de bons voisins.» Elles empêchent aussi les animaux de pénétrer dans le jardin. Une clôture vivante, faite de rosiers aux fleurs multicolores, peut aussi servir de préventif tout en offrant une floraison agréable. Et que dire de la vitamine C des fleurs d'églantier?

COING (*Rosaceae*). Cet arbuste, ou petit arbre, est un des membres les plus jolis de la famille des roses. Il est cultivé surtout pour son fruit, mais la floraison printanière est très attrayante. Coupé, il se conserve longtemps.

Le fruit, en forme de poire, n'est jamais consommé frais. Cuit, il est très agréable au goût avec des marmelades, des conserves et des gelées.

Les fruits de coing sont délicieux en gelée. L'arbre se cultive depuis long-temps, mais il n'a jamais connu une grande faveur au pays.

COIX LACRYMA. LARME-DE-JOB. Cette graminée ornementale de trois pieds de hauteur est cultivée surtout pour ses jolies graines grises qui ressemblent à des perles et qui sont souvent utilisées pour faire des colliers.

COLEUS. Ces plantes, au feuillage décoratif, sont superbes dans les endroits ombragés du jardin et en appartement. Le feuillage luxuriant présente différents coloris dans les tons de rouge, vert, pourpre, jaune, blanc, rose. On s'attend qu'il y ait d'autres changements chez les coleus puisqu'ils réagissent fortement à la radioactivité et plusieurs nouvelles formes ont été constatées au centre atomique de Knoxville.

COMPOSÉES/COMPOSACÉES. Cette famille est la plus vaste et la plus hautement développée des plantes florifères. Elle compte plus de 20 000 espèces d'herbes, d'arbres, de vignes et d'arbustes. Toutes possèdent des méthodes efficaces de reproduction, produisent des graines en grand nombre et savent les disperser. Certaines servent à la préparation de drogues.

COMPOSTAGE POUR L'ENRICHISSEMENT DU SOL. Il importe d'avoir une abondance de terreau pour créer un environnement favorable à la croissance des racines. Un sol bien remué a une structure granulée qui permet une pénétration facile de la pluie et de l'air, et qui retient l'humidité pendant de longues périodes de temps. Une pratique à conseiller: l'utilisation de compost combiné au paillis. On peut commencer la fabrication du compost en tout temps de l'année.

Pour faire du compost, on remplit un bac en y faisant alterner des débris organiques, de façon qu'ils se décomposent facilement. On utilise toute matière organique, sauf des déchets qui attirent les rongeurs.

Étendez une épaisseur de six pouces de matière organique et arrosez-la avec de la chaux de culture finement brouée. Ajoutez une épaisseur d'un pouce de terre pour introduire les microorganismes nécessaires à une décomposition plus rapide.

Montez le tas à une hauteur d'environ quatre pieds et gardez-le humide. Retournez-le de temps en temps pour y réintroduire de l'air.

Tout cela vaut-il la peine? Oui. Une couche de quatre pouces de compost mélangé au sol à une profondeur de six pouces est une garantie de succès dans les jardins et les potagers.

CONVALLARIA MAJALIS. Muguet.   Le muguet, espèce unique, est une jolie fleur à floraison printanière, au parfum suave. Il est cultivé dans un endroit partiellement ombragé et présente un bel aspect en touffes denses.

Pour avoir des fleurs pour Noël, plantez des griffes enveloppées de mousse dans du sable environ un mois avant les Fêtes, leur donnant de la chaleur de fond et les arrosant généreusement.

Les feuilles, fleurs, baies et racines sont bien connues pour leur toxicité. Des enfants ont déjà perdu la vie après avoir bu l'eau du vase d'un bouquet de muguets.

CORIANDRE (*Coriandrum sativum*).   Persil arabe. Elle est cultivée pour sa graine savoureuse, mais ne convient pas au jardin d'agrément à cause de la mauvaise odeur de son feuillage et de ses graines fraîches. Cependant, le feuillage est délicat et les ombelles rose-blanc sont jolies. Utilisez-les en cuisine.

CORNUS MAS. Cornouiller mâle.   Cet arbuste vous réjouira en février lorsqu'il vous présentera ses petites fleurs jaune or réunies en bouquets arrondis sur des tiges nues. Un feuillage vert leur succède, suivi de fruits écarlates qui attirent les oiseaux et sont délicieux dans la préparation des gelées et des conserves.

CORNUS NUTALLII. Cornouiller de nuttall. Ce petit arbre impressionnant présente des floraisons décoratives et exhale un agréable parfum de miel. *L. C. amomum* a une écorce intérieure parfumée que fumaient les Amérindiens.

CORONILLA. *Coronille.* Cette plante est très efficace contre l'érosion des terrasses. Elle étouffe aussi les mauvaises herbes.

COSMÉTIQUES. La reine Élisabeth de Hongrie attribuait sa grande beauté à une herbe tonique qu'on nomma en son honneur Eau de Hongrie. En voici la recette:

12 on de romarin	1 on de baume
1 on de pelure de citron	1 chopine d'eau de rose
1 on de pelure d'orange	1 chopine d'esprit de vin

Mélanger ensemble et laisser reposer plusieurs semaines. Passer et utiliser le liquide pour frictions après le bain.

Des fleurs de sureau ajoutées aux bains de vapeur rafraîchissent et adoucissent l'épiderme. Les feuilles fraîchement broyées ou le jus frais d'alchémille est utile contre l'inflammation de la peau et l'acné, de même que pour les taches de rousseur. Les fleurs de limette stimulent la pousse des cheveux et font une cosmétique appréciée contre les taches de rousseur, les rides et les impuretés de la peau. L'aloès entre maintenant dans la préparation de plusieurs crèmes pour la peau.

COUPAGE, CONSEILS. R. T. Fox et J. W. Boodley, de l'Université Cornell, offrent les conseils suivants:

1. Coupez les tiges des fleurs pour qu'elles absorbent l'eau plus facilement.

2. Pour prévenir le blocage, dans certains cas, immergez la tige à un demi-pouce dans l'eau bouillante pendant trente secondes ou cautérisez.

3. Enlevez le surplus de feuillage et les feuilles qui seront sous l'eau.

4. Placez les tiges dans de l'eau à 110 °F. Elle s'absorbe plus rapidement.

5. Utilisez, dans l'eau, une nourriture pour fleurs commerciale. Elle prolongera la vie des fleurs coupées.

6. Recouvrez les fleurs d'un papier ou d'un plastique après les avoir placées dans l'eau tiède. Ceci prévient le mouvement de l'air rapide sur les fleurs et réduit la perte de l'eau. Après environ deux heures, vous pouvez les arranger et elles continueront à absorber l'eau. Ce traitement répété peut restorer des fleurs fanées.

7. Lavez les vases après chaque utilisation pour détruire les bactéries qui risquent d'obstruer les tiges.

8. Évitez la chaleur excessive. Ne placez pas les fleurs en plein soleil, sur un radiateur ou dans un courant d'air.

9. Doublez la vie de vos fleurs en les plaçant au froid la nuit ou pendant votre absence.

10. Ne placez pas les fleurs en présence de fruits ou de légumes. Le gaz éthylène qui en émane peut raccourcir leur vie.

COTON ORNEMENTAL. Ces plantes hautes de deux pieds présentent des bourgeons roses et des fleurs crème, auxquels succèdent de grosses capsules blanches.

CRAPAUDS. Ils ont une grande utilité dans les jardins parce qu'ils détruisent les insectes indésirables. On peut en acheter.

Les crapauds, comme les serpents, sont les alliés du jardinier, car ils mangent les insectes. Vous pouvez assurer leur présence en permanence dans votre jardin en leur laissant de la nourriture en abondance et en leur installant un abri quelconque, tel un pot d'argile.

CRASSULA. Cette plante est parmi les favorites des amateurs de l'Amérique du Nord. Certains experts la traitent comme un bonsaï tropical, mais les débutants n'éprouvent pas de difficulté à la cultiver. Elle s'habille de feuilles vert foncé dont le rebord devient rouge avec suffisamment de soleil. Les fleurs, en forme d'étoile, issues de panicules terminales en grappes en hiver ou au printemps, sont blanches ou rose pâle.

CRATAEGUS OXYACANTHA. Aubépine. L'aubépine présente des bouquets de fleurs blanches, au parfum délicat, qui apparaissent en mai. Les fleurs de certaines espèces américaines ont une odeur désagréable.

Elles font d'excellentes haies autour du jardin qu'elles protègent contre le vent et offrent ombrage et protection contre les intrus.

CRYPTOGAMIQUES, MALADIES. Les plantes sont exposées aux attaques des champignons, de la rouille et à d'autres maladies pour diverses raisons. Les conditions atmosphériques extrêmes, les sécheresses ou les pluies abondantes affaiblissent les plantes. Le bord des feuilles de la pivoine devient brun par temps humide. Ou bien les blessures provoquées par les insectes deviennent une porte ouverte aux maladies cryptogamiques et à la pourriture. D'autres insectes infestent les plantes qui souffrent alors de maladies virales. N'oubliez pas qu'un compost bien décomposé est aussi bénéfique pour les fleurs que pour les légumes.

CULTURE. Lors de la préparation en vue de la plantation, le sol doit être bien remué et contenir une bonne quantité de matières organiques pour les fleurs qui en ont besoin, préférablement sous forme de compost.

Une petite surface peut être bêchée à la main. Pour les plates-bandes plus grandes, un laboureur rotatif est presque indispensable. Le type à dents à l'arrière est plus facile à manier pour les personnes âgées, et il permet de labourer plus ou moins en profondeur, ce qui rend le jardinage beaucoup plus agréable.

CATANANCHE. CUPIDONE. Les longues tiges grêles, au milieu d'un feuillage bleu argenté, portent une floraison d'un bleu exquis, de juin à septembre. Les fleurs coupées sont superbes, fraîches ou séchées. Plantez en plein soleil dans un sol bien drainé. Elles ont rarement besoin de division.

D

DAHLIAS. Si vous cherchez une fleur idéale, essayez le vigoureux dahlia à l'élégante et abondante floraison. Les dahlias sont de diverses formes et couleurs, et les fleurs sont simples ou doubles. Les nouvelles variétés cactées ont un aspect particulièrement attrayant. Ils préfèrent un sol profond, fertile et bien drainé, dans un endroit ensoleillé car ils craignent le froid. Divisez les racèmes des racines et plantez-les au moment du dernier gel. Espacez-les de trois ou quatre pieds si vous voulez des fleurs d'exposition. Pour obtenir de grandes fleurs, cultivez une seule tige par racine. Enlevez toutes les petites pousses chétives. Quand la pousse a atteint une hauteur de six pouces, pincez aux troisièmes feuilles pour provoquer la pousse des tiges latérales.

Les dahlias protègent leurs voisines contre les nématodes.

DALLES DÉCORATIVES. Les pavages de dalles contribuent à l'intérêt et à l'esthétique d'un jardin d'agrément. Avant de poser les dalles dans le ciment, enduisez de cire liquide ou en pâte la surface extérieure de chacune d'elles, pour empêcher l'adhésion du ciment et faciliter le nettoyage.

S'il y a de la terre dans les interstices, vous pouvez planter du thym traçant dans les endroits ensoleillés. Cette plante semble se plaire à se faire marcher dessus et elle exhale un parfum agréable à chaque pas.

DAPHNE ODORA. Daphné. Cet arbrisseau à feuillage persistant présente, en janvier, des fleurs blanches ou pourprées délicieusement parfumées.

D. laureola, à port buissonnant, produit ses petites fleurs vertes aussi tôt que janvier. Ces plantes ont un parfum qui ressemble à celui des primevères; il peut être décelé à une distance de trente verges.

D. mezereum, cependant, porte des baies vénéneuses qui risquent d'être fatales aux enfants.

DATURA STRAMONIUM. On tire des drogues officinales de ses graines et de ses feuilles. La forte odeur de la plante est assouplissante et, en petites quantités, la fumée des feuilles séchées a un effet calmant sur les abeilles au moment d'ouvrir une ruche. Le nectar des fleurs est toxique pour les enfants, et certains sont morts après avoir avalé des graines.

DAUCUS CAROTA (Voir carotte sauvage.)

DELPHINIUM SPP. Pied d'alouette. Très cultivées pour leurs beaux épis floraux, plusieurs de ces plantes se sont évadées aux bords des chemins et dans les prés. La couleur prédominante est le bleu, mais les formes cultivées viennent en plusieurs couleurs. Les feuilles de toutes les espèces sont toxiques, mais cette toxicité diminue avec l'âge.

Les alcaloïdes delcosine et delsoline extraits du pied d'alouette commun sont efficaces contre les pucerons et les thrips. Les racines en poudre sont toxiques pour les enrouleuses du haricot, les piérides rayées du chou et autres.

On dit, dans un livre sur le jardinage, que «le pied d'alouette est un hybride confus d'origine incertaine». Peu importe, c'est une plante rustique facile à cultiver, et qui offre des fleurs roses, bleues, pourpres ou blanches.

DIANTHUS. Oeillet. Ces plantes charmantes, aux couleurs gaies et au parfum épicé, portent un feuillage attrayant, souvent glauque. Elles sont souvent cultivées pour les bordures et les rocailles. C'est une fleur très populaire à la fête des mères.

DICENTRA. Coeur saignant. La floraison peut être rouge, rose ou blanche. *D. spectabilis* est le bon vieux coeur saignant aux grappes arquées de fleurs pendantes. Il est facile à cultiver et a rarement besoin de transplantation ou de division.

DICENTRA CUCULLARIA. Culotte de hollandais. Ses feuilles et racines sont vénéneuses et peuvent engendrer des symptômes nerveux tels que le tremblement, la perte d'équilibre, le trébuchement, la faiblesse, la difficulté de respirer et les convulsions.

DICTAMNUS. Fraxinelle d'Europe. Le nom grec *dictamnos* rappelle la montagne légendaire où Zeus est né et où poussait cette plante. Au moment de la floraison, la partie supérieure de sa tige dégage une huile essentielle volatile qui peut s'enflammer par temps chaud, sans que la plante en souffre.

DIEFFENBACHIA. On retrouve fréquemment cette plante au feuillage persistant dans les serres, les domiciles, les restaurants et les entrées comme empotée ornementale. Ses fleurs sont insignifiantes mais le fruit est succulent. On l'a nommée *dumbcane* parce qu'on peut perdre temporairement l'usage de la parole à la mastiquer.

DIERAMA. Du grec *dierama*, entonnoir, qui décrit la forme des fleurs individuelles pendantes sur tiges longues et élancées. Ces vivaces de l'Afrique, ne pouvant supporter les hivers humides et froids, sont cultivées comme plantes d'appartement dans les régions septentrionales.

DIGITALIS. GANT DE NOTRE-DAME. Cette plante stimule la croissance de ses voisines et sert de bonne compagne au pin. Elle prospère bien en bordure des forêts et en boisés clairsemés. On dit que l'infusion de cette plante dans les vases prolonge la vie des fleurs coupées.

Sa fleur est la source de la grande valeur de la digitale, le stimulant cardiaque. Les Amérindiens l'utilisaient à cet effet avant qu'elle ne soit connue des Européens. En Angleterre, l'extrait était recommandé à cette fin par les soi-disant sorcières (dames aux herbes) avant qu'il ne soit reconnu par les médecins. Ses fleurs et ses graines sont très toxiques. Attention aux enfants!

DOUCHER LES PLANTES. La vaporisation de fertilisants est aussi efficace chez les plantes d'appartement que chez les plantes de jardin. Ne vaporisez que selon les concentrations recommandées et lorsque la plante n'est pas en dormance.

DRACOCEPHALUM. *Dracocéphale parviflore.* Du grec *drakon*, dragon, et *kephale*, tête, le nom rappelle la bouche béante de la fleur. Elles vont bien sur le devant des bordures.

E

EAU. Nous savons que l'eau est indispensable aux êtres vivants, mais elle est aussi véhicule d'alimentation. Les éléments qui nourrissent les plantes se trouvent dans la pluie ou, placés en terre, ils sont dissous par la pluie. Il n'y a pas de vie sans eau.

Il importe d'être circonspect lorsqu'on utilise l'eau, surtout en régions arides. Pour conserver l'humidité, imbibez les sillons avant de semer les graines, puis recouvrez de sol sec. L'humidité se trouve alors là où les graines en ont besoin pour germer.

Avant de planter un arbre ou un arbuste, arrosez le trou à plusieurs reprises. Les racines trouveront alors l'eau qui leur est nécessaire. Quand le trou est à moitié rempli de sol, tassez fermement, puis remplissez d'eau. À mesure que l'eau s'infiltre, ajoutez du sol et laissez une dépression concave, où vous placerez une couche meuble de paillis.

Le paillis est important pour tout le jardin. Il prévient la formation d'une croûte et permet à l'eau de pénétrer plus facilement et lentement, sans qu'il y ait d'écoulement.

Pour les récoltes de vignes, telles que les tomates ou même les vignes décoratives, il y a avantage à enfouir une boîte de conserve vide à côté de chaque plant. Remplissez les boîtes quand les plants ont besoin d'eau.

ÉCHASSES DE PAILLE. Quand les tiges des fleurs coupées sont trop courtes, insérez-les dans des pailles de plastique et coupez-les à la longueur désirée.

ECHINCYSTIS FABACEA. Concombre sauvage. La racine en poudre est toxique pour la pyrale de maïs.

ECHIUM. Vipérine. Ces plantes sont bisannuelles, à floraison habituellement bleue et au feuillage vert-gris. Elles vont très bien dans les rocailles. Elles accompagnent bien la colombine et l'armérie.

ÉCUREUILS. Si les écureuils déterrent vos bulbes, étendez de la clôture de poulailler sur le sol et assujettissez-la avec des pierres sur le périmètre. Cette tactique est aussi efficace contre les chats.

Protégez les arbres à l'aide d'une feuille de métal lisse en forme de cône renversé, assez haut pour que l'écureuil ne puisse sauter par-dessus.

ENCENS. L'encens est, le plus souvent, d'origine végétale. C'est un mélange aromatique de gommes et de baumes. Bon nombre de religions en font usage depuis l'antiquité, lors de cérémonies religieuses. Il répand un parfum agréable dans une pièce.

ENROUEMENT. Prenez un navet d'une bonne grosseur et lavez-le sans le peler. Coupez un morceau à la base pour qu'il se tienne debout et tranchez-le verticalement en quatre parties égales.

Rassemblez-le, après avoir ajouté une couche de sucre de Demerara ou de miel entre les tranches, et mettez-le dans un plat creux ou un bol à soupe. Après une couple d'heures, il se forme un épais sirop au fond du bol. À prendre, une cuillerée à la fois.

ÉPARPILLEMENT DES PLANTES.   Pour éviter la monotonie rigide d'herbes plantées seules, éparpillez-les dans le jardin. Celles qui ont des propriétés protectrices sont, entre autres: la marjolaine, l'origan, la lavande, la santoline, la camomille, la livèche, le cerfeuil, le baume de citron et la bergamote.

ÉPIPHYLLUM. CACTUS ORCHIDÉE.   Le nom provient de *epi*, sur, et *phyllon*, feuille, à cause de la disposition des fleurs. Ils peuvent être cultivés dans des paniers suspendus au plafond de la serre. Ils requièrent:

Lumière.   Tamisée de préférence.

Humidité.   Environ 50 pour cent. Pulvériser en été.

Température.   De 45 à 70 °F. Protéger du gel.

Arrosage.   Quand la surface du sol est sèche, à une profondeur de 1 1/2 pouce.

Mélange d'empotage.   Doit être friable et poreux. Il s'en vend tout préparé.

Fertilisant.   Doit être relativement pauvre en azote (10 %). Une fois par mois, entre avril et l'automne. Une fois en février et en novembre pour obtenir une floraison.

Floraison.   Se présente sur les plantes à racines de deux à trois ans.

Les couleurs de cette fleur couvrent presque tout le spectre de l'arc-en-ciel. L'empotage favorise l'effloraison.

ERICA ET CALLUNA. Bruyère et bruyère commune. Ces genres d'arbustes ou de plantes arbustives, à feuilles persistantes, vont bien en bordure ou sous des toujours verts plus grands. Leur feuillage prend des tons de vert, de bronze ou d'or.

Les deux genres se ressemblent, mais les Callunas sont plus robustes que les Ericas.

ERIGERON. Vergerette. Cette mauvaise herbe est un des rares «cadeaux» à nous provenir de l'Europe. Elle fut introduite par mégarde en 1655 dans un oiseau empaillé. Son huile âcre est utilisée contre les moustiques.

ERIODICTYON CALIFORNICUM. Herbe sainte. Les petites fleurs blanches ou lilas sont odoriférantes. Les feuilles sont fortement aromatiques lorsqu'elles sont broyées, et les Amérindiens les utilisaient contre le rhume, d'où le nom d'«herbe sainte».

ESPALIER. Arbre fruitier qu'on plante le long d'un mur, qu'on taille et qu'on attache de façon à lui donner une forme plate.

ÉTANGS, PLANTATION AU BORD D'. Quelques plantes s'accommodent bien au bord d'un étang, dont: Iris pseudacorus, Iris versicolor, sagittaires, roseau odorant, lobélie du cardinal, jonc fleuri, salicaire pourpre, soucis des marais et astilbes.

Le lis d'eau est reconnu pour la variété de ses couleurs. Il flotte grâce à de petits sacs d'air dans ses feuilles.

ÉTIQUETER LES PLANTES. Un bon nombre de plantes se ressemblent tellement avant leur floraison qu'il est difficile de les différencier. Il est donc conseillé de les étiqueter dès qu'on les a achetées, sinon on court le risque d'oublier leur nom et, par conséquent, de ne pas savoir comment les soigner.

EUCALYPTUS. Le feuillage est habituellement odoriférant. Les feuilles lancéolées sont longues, étroites et comme du cuir. Les fleurs plumeuses ressemblent à une clochette et sont remplies de nectar. Les arbres fournissent aussi de la résine, appelée Botany Bay kino, qui protège le bois contre certains perceurs.

On tire du tanin pour fins médicinales de l'écorce de certaines espèces. Les feuilles contiennent une huile importante dont le parfum ressemble à celui du camphre, qu'on emploie comme désinfectant, comme désodorisant et comme stimulant. Une préparation faite de l'écorce, des tiges, des feuilles et des graines d'eucalyptus est utile contre les pucerons.

EUGÉNOL. Un des éléments constitutifs de l'huile de girofle, l'eugénol, est un appât efficace dans les pièges à insectes. L'anis étoilé et la citronnelle sont aussi utiles à cette fin.

EUPATORIUM PURPUREUM. EUPATOIRE. Cette mauvaise herbe se retrouve surtout dans les fourrés humides, les fossés et les ruisseaux, et n'envahit que les prés mal drainés. On dit que son lait guérit les blessures ouvertes et les meurtrissures. Des chasseurs ont observé que des cervidés blessés la cherchent pour s'en nourrir. La plante est proche parente de l'herbe à souder.

Les haricots d'Espagne, en plus de porter de très jolies fleurs, sont délicieux. L'eupatoire est à choisir si on veut une plante grimpante qui pousse vite pour cacher une clôture terne. Les oignons et l'ail ne sont pas de bons compagnons.

EUONYMUS EUROPAE. FUSAIN. Cet arbuste, ou petit arbre caduc, vit à l'état sauvage dans certaines régions d'Europe. À

58

l'automne, les feuilles se colorent bien et les fruits rouges s'ouvrent pour laisser apparaître des graines orange.

EUPHORBIA. EUPHORBE. Un pépiniériste de renom affirme que cette plante est l'une des dix meilleures vivaces du monde eu égard à sa fiabilité, à la facilité de sa culture, à sa forme impressionnante et à sa couleur extraordinaire. Elle ressemble un peu au cactus, mais sans aucun lien de parenté. Elle peut présenter des formes nettement géométriques ou ressemblant à des tuyaux d'orgue, ou encore de grosses boules. Les fleurs d'euphorbe sont sans pétales, mais elles sont fréquemment entourées de bractées spectaculaires.

EXTRAIT DE PLANT DE TOMATES. Faites bouillir les tiges et les feuilles dans l'eau. Une fois le tout refroidi, filtrez la liqueur et vaporisez-en les plants pour détruire les mouches noires ou vertes et les chenilles. L'odeur étrange qui persiste semble décourager l'invasion de nouveaux insectes.

F

F1. Cette abréviation signifie la première génération (filiation) de plantes résultant de la multiplication par hybridation. Ces hybrides possèdent des qualités supérieures à celles des parents: croissance plus rapide, plus grande vigueur, plus forte résistance aux maladies, coloris plus intenses, plus grand nombre de fleurs et de fruits. Les rejetons des plantes F1, les F2, sont plus vigoureuses que les plantes d'origine mais moins que les F1. Les graines des hybrides F1 sont plus coûteuses que les autres, car leur production impose une intervention manuelle pour la pollinisation.

FATIGUE. Les Aztèques respiraient les fragrances des fleurs pour soulager la fatigue. Ils considéraient la mélancolie et la perte de mémoire comme des maladies. On avait constamment recours au parfum des fleurs pour ses effets psychiques. Une lotion composée de concentrés de fleurs et d'autres ingrédients, destinée à conserver l'arôme délicat, servait aux massages. Une préparation semblable était destinée à l'usage interne.

FAUTEUILS ROULANTS, JARDINAGE EN. Choisissez des plantes qui imposent le moins d'empotage possible. À conseiller: les terrariums, les jardins miniatures, les jardins en cabarets et le bonsaï.

FICHER EN L'AIR! Les paniers suspendus ne manquent jamais d'attirer l'attention, qu'il s'agisse de pétunias en cascade qui rehaussent toujours un vieux balcon, d'un géranium lierre qui égaye un lampadaire ancien ou d'un fuchsia délicat suspendu à une branche d'arbre.

Une jardinière suspendue n'est, en fin de compte, qu'une plante empotée devenue ensorcelante et qui a besoin d'être entretenue.

Les plantes de jardinières sont habituellement classifiées dans deux catégories, et dans chacune il faut considérer les floraisons et les feuillages. Ces deux catégories comportent des plantes pour endroits ensoleillés et des plantes pour endroits ombragés. Votre fleuriste se fera un plaisir de vous aider à faire un choix selon vos conditions domiciliaires.

FICUS. Caoutchouc. Cette plante d'appartement est apparentée au figuier. Elle aime bien la chaleur de l'appartement et la carence d'humidité. Elle grandit rapidement et jouit d'une longue vie. Sa croissance est encore plus rapide dans un sol riche en minéraux, pour autant qu'on ne ménage pas le soleil, ni l'eau, ni l'espace. Mettez-la en liberté à l'extérieur, durant l'été, pour qu'elle puisse accumuler assez d'énergie solaire pour résister durant les mois d'hiver.

FILIPENDULA ULMARIA, SPIRAEA. Spirée. La spirée est probablement sans conteste le plus important des remèdes qu'offre la nature. Les chimistes y ont découvert l'acétyle salicylique, l'ont synthétisée, et l'ont appelée aspirine. Même la feuille sèche à l'état naturel peut être broyée aux mortier et pilon, et utilisée là où l'aspirine est recommandée, sans en présenter les effets nocifs.

FLEURS DE POMMIERS. Louise Beebe Wilder disait que les parfums les plus délicats des fleurs émanent des plantes dont les feuilles n'ont rien à dire. La fleur du pommier figure dans cette catégorie.

Le pommier est membre de la famille des roses. Pour cette raison, encerclé de membres de la famille des oignons, il se protège bien contre les perceurs.

FLORIFÈRES, ARBRES. À ne pas négliger, les merveilleux pommiers sauvages. Certains portent des fruits, mais ils sont cultivés surtout pour leurs fleurs. D'autres arbres de cette catégorie sont l'amandier, le cerisier, le pêcher, le prunier et le cognassier. Un autre dont la floraison printanière n'a pas son égale est le cotinus. C. coggygria mérite bien son nom de Royal Purple avec son feuillage noir pourpre cuivré et son inflorescence de la même couleur.

FENOUIL DOUX *(Foeniculum vulgare).* Dans le jardin, le fenouil est apprécié pour ses masses de feuillage frangé. Les feuilles peuvent se consommer fraîches ou sèches pour accompagner poissons, sauces, cornichons, infusions. Les graines ont des vertus thérapeutiques. On peut consommer les jeunes pousses en salade après cuisson.

Le fenouil de Florence est proche parent et se cultive de la même façon. Il n'est pas très bon compagnon du buisson haricot, du carvi et des tomates.

FORÇAGE. Grâce au forçage on peut obtenir une quantité de fruits, de fleurs et de légumes avant l'époque normale de leur culture. La chaleur nécessaire au forçage se fait soit par chauffage de fond, soit par couche chaude constituée de fumier frais et de feuilles.

FORSYTHIA. «Golden Bells». La floraison jaune de ce buisson ravissant est une des joies du mois de février. Les forsythias sont des plantes spécimens hors de l'ordinaire et d'excellents sujets de forçage. Les branches coupées en janvier ou février ne prennent que quelques jours à forcer. Élaguez le vieux bois immédiatement après la floraison pour garder la plante en santé et obtenir des fleurs à profusion.

FOTHERGILLA GARDENII. Cet arbuste à feuilles caduques est surtout reconnu pour ses fleurs d'un blanc crème au parfum de miel, portées par des épis en forme de chaton. Les feuilles ovales, vert franc, fortement dentées à leur partie supérieure, virent au rouge écarlate en automne. Réussite assurée si on le cultive en plein soleil, dans un sol acide bien drainé.

FOURMIS. Les fourmis sont souvent la plaie des jardins et des maisons. Elles sont réprimées par le pouliot, la menthe verte, la citronnelle et la tansie. En appartement, des tranches de concombres s'avèrent efficaces.

FRAGRANCE. Les fleurs dégagent une odeur puissante et enivrante lorsqu'elles sont prêtes pour la reproduction. Une multitude d'abeilles, d'oiseaux et de papillons se réunissent alors en saturnales de fécondation. Les fleurs vierges émettent une forte fragrance pendant huit jours avant de se faner et de tomber. Cependant, à peine une demi-heure après leur fécondation, elles cessent d'émettre leur message de séduction.

Le parfum de certaines plantes ne se trouve pas toujours dans la fleur; il peut provenir de la racine, des graines, de l'écorce, de la gomme ou des huiles, même de la tige ou des feuilles.

FRAISE *(Rosaceae fragaria).* Ce membre de la famille des roses porte de petites fleurs blanches auxquelles succèdent de délicieux fruits. Des graines jaunes et sèches se forment à l'extérieur du fruit. Sauf pour les espèces alpines, la fraise ne se multiplie pas par ses graines. Elle le fait par le marcottage de ses stolons pendant qu'elle se développe.

Les oignons protègent les fraises autant que les autres membres de la famille des roses. La laitue est une bordure utile et la pyrèthre enraye les plantes nuisibles. Les aiguilles de pin font un paillis agréablement odorant et améliorent le goût des fraises.

FRUITIERS, ARBRES. Rares sont les spectacles aussi enivrants que la floraison des arbres fruitiers au printemps. Soulignons, entre autres, le pommier sauvage, car il se cultive sans difficulté et ses pommettes font de délicieuses gelées.

Un ornemental de valeur est le pêcher Bradford, l'un des premiers à fleurir au printemps. Ses fleurs abondantes apparaissent en bouquets de dix ou douze. Leur masse blanche solide fait un contraste frappant au milieu du feuillage printanier. Le pêcher Bradford est aussi de toute beauté en automne, alors que les premières gelées transforment ses couleurs en teintes foncées de rouge pourpré puis écarlate.

Un espace restreint se comble très bien avec des espèces naines en espalier.

Les pissenlits dans les environs stimulent la fructification des arbres fruitiers. L'ail et les oignons contiennent des agents puissants antibactéries contre les maladies des fruits à noyaux.

D'autres plantes compagnes qu'il ne faut pas ignorer sont l'ail, la ciboulette, les oignons, les capucines, le raifort, la citronnelle et l'ortie.

COMMENT PLANTER UN ARBRE FRUITIER

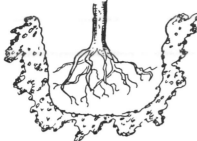

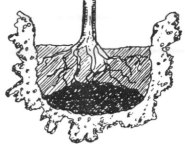

1. Creusez un trou plus grand que l'étalement des racines.

2. Placez un monticule de terre au centre du trou, puis étalez les racines naturellement.

3. Tassez la terre sous vos pieds. Rajoutez du sol jusqu'aux deux tiers du trou.

4. Versez un seau d'eau tiède. Laissez pénétrer l'eau, et tassez de nouveau.

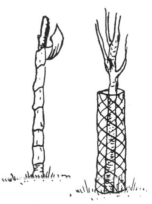

5. Lorsque vous versez l'eau, formez une légère dépression autour du tronc.

6. Enveloppez le bas du tronc d'un papier épais ou d'un grillage de fil de fer, en guise de protection.

FUCHSIA *(F. exoniensis, F. corallina).* Cet arbuste vigoureux, presque prostré, s'étale sur plus de trois pieds. Ses branches, couvertes de grandes feuilles vert foncé, sont gracieusement arquées. Tout l'été il présente un spectacle étincelant: de longues fleurs au calice rouge brillant sur réceptacles pourpres. L'arbuste décore bien les rives ou les surplombs et se plaît autant à l'ombre qu'au soleil.

G

GAILLARDIE. PLANTE VIVACE. Plusieurs variétés ont été développées. Les marguerites jaunes et rouges prospèrent bien dans les endroits chauds et secs, et fleurissent tout l'été. Elles font de belles fleurs coupées et se cultivent sans difficulté. Le souci, les pavots d'Irlande et la croix de Malte aiment sa compagnie.

GALANTHUS. PERCE-NEIGE. La floraison des perce-neige, joyaux d'hiver et imperturbables dans la neige, est de longue durée. Ces fleurs sont frappantes dans les fourrés massifs, sous les arbres à feuillage caduc. Plantez-les à l'automne, pour leur permettre une longue période de croissance. Augmentez votre stock immédiatement après leur floraison; le repiquage donne une plus grande récolte.

GARDENIA JASMINOIDES. GARDÉNIA. Cet arbuste au feuillage persistant vert foncé lustré, d'une hauteur de deux à six pieds, porte d'exquises fleurs blanches vernissées, fortement odorantes. C'est la fleur double qui sert habituellement de fleur à boutonnière. Utilisez-la comme fleur d'arrière-plan pour faire ressortir les couleurs des autres.

GAZON. Pour conserver des bords de gazon nettement découpés, peignez-les avec du carburant de tracteur. Un vieux pinceau de quatre ou cinq pouces est tout ce qu'il vous faut.

GEL, PROTECTION CONTRE LE. Les branches flexibles des toujours verts font d'excellents protecteurs pour les vivaces et les herbes.

GENOUILLÈRES. Peu importe leur forme (question d'imagination), elles valent leur pesant d'or pour les menus travaux de jardinage.

GENTIANE. *Gentiana.* Les gentianes sont habituellement sans parfum, mais la gentiane vivace frangée, plus rare, émet un délicieux parfum de fraises.

Septemfida (var. lagodechiann) présente une floraison estivale de fleurs d'un bleu franc à gorge blanche. C'est un excellent couvre-sol.

GINSENG *(Panax quinquefolium).* Le ginseng est la plante la plus coûteuse du règne végétal et l'emporte même sur la truffe comme aphrodisiaque. Apprécié depuis des siècles chez les Orientaux, ce n'est que récemment que les physiciens occidentaux en ont reconnu la valeur. Des études cliniques et biochimiques ont révélé ses excellents effets oestrogéniques chez les femmes.

Le ginseng, un stimulant du système nerveux, rend les gens plus actifs, plus agressifs, plus intéressés.

Les Orientaux, depuis des siècles, ont la conviction que le ginseng est une source de longue vie et de virilité, et l'utilisent comme remède à bien des maux. Les Américains lui attribuent des vertus tranquillisantes.

GINSENG SIBÉRIEN *(Eleutherococcus senticosis maxim).* À la suite de recherches, un jeune médecin russe, qui avait observé des cervidés se gaver des feuilles d'une plante endémique de la Russie orientale, on a découvert que le ginseng sibérien était une plante médicinale tonique de premier ordre, susceptible d'augmenter la vigueur de façon appréciable, en dosage à long terme.

Même si leurs effets pharmacologiques sont semblables, les recherches semblent indiquer que l'Eleutherococcus l'emporte cependant sur le ginseng. Face à un labeur physique ardu, grâce à lui les humains et les animaux sont capables d'efforts plus soutenus qu'avec le ginseng. C'est aussi un calmant pour les hyperactifs. Étant donné son abondance, cette plante est beaucoup moins coûteuse que le ginseng.

GLAÏEUL *(Gladiolus).* Grâce aux efforts du Dr Forman McLean, du New York Botanical Gardens, nous avons maintenant des glaïeuls odorants. Ce sont de grandes fleurs d'une beauté dramatique. La gamme de leurs coloris couvre pratiquement tout le spectre. Éloignez-les, cependant, des pois et des haricots qui détestent leur présence.

GLOXINIA *(Gesneriaceae).* De toutes celles qui s'offrent le plus souvent en cadeau, cette plante de l'Amérique tropicale se fait remarquer par ses feuilles veloutées richement colorées et ses grandes fleurs campanulées. Elle connaît une grande popularité comme plante d'appartement et de serres.

GRAINES, VALEUR NUTRITIVE. Les graines ont été utilisées comme nourriture par l'humanité depuis la nuit des temps, et plusieurs sont particulièrement riches en protéines, en vitamines, en minéraux et en hormones. Les graines de citrouille préservent la prostate et la vigueur mâle. Elles sont riches en vitamine A et en phosphore. Les graines de céleri sont aussi reconnues depuis longtemps comme stimulants. La graine de soya contient plus de protéines que le boeuf, plus de calcium que le lait et plus de lécithine que les oeufs.

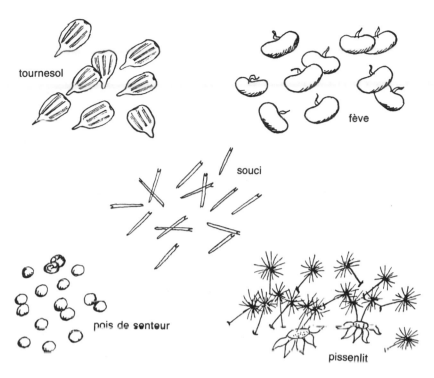

La graine est la partie la plus importante de la plante et n'a qu'une ambition: germer. La fin ultime de l'existence des racines, des feuilles et des fleurs est qu'il y ait des graines. Comme on peut le voir ci-haut, leurs formes sont très variées, allant de la graine légère de pissenlit, portée par le vent, aux fèves relativement grosses.

«GRASS» POUR LES CHATS. Les chats qui ont rarement l'occasion de sortir à l'extérieur aiment grignoter de la verdure. L'avoine répond à ce besoin, ce qui détourne leur attention des plantes, dont certaines risquent d'être vénéneuses. Ils sont friands de l'herbe aux chats, une menthe vivace, dont les feuilles les stimulent.

GRAVURES FLORALES. Cueillez des fleurs colorées, minces et légères (pensées, pétunias, colombines, boutons d'or) juste avant qu'elles arrivent en pleine floraison. Enlevez le pollen à la brosse et pressez-les entre des feuilles de papier-éponge. Placez dessus un objet lourd. Remplacez le papier après huit heures et une autre fois encore après huit heures. Montez-les ensuite sur du papier construction. Il n'est pas nécessaire d'utiliser de la

colle puisque la vitre de l'encadrement les soutient. Les fougères se pressent bien aussi.

GRENOUILLES (Amphibia). Les grenouilles et les crapauds sont
d'avides consommateurs de ravageurs de jardins. On estime
qu'un crapaud peut consommer jusqu'à 10 000 insectes en trois
mois, dont 16% seront des chenilles de noctuelles. Il gobe aussi
les larves, les grillons, les scarabées et les coccinelles du rosier,
les punaises de la courge, les chenilles, les fourmis, les punaises des céréales, les chenilles du zig-zag, les cicadelles de la
pomme de terre, les mites, les mouches, les moustiques, les limaces et même les taupes.

Au printemps, allez à la chasse aux grenouilles près des étangs
et des marais. Renfermez-les pendant quelques jours dans votre
jardin. Donnez-leur un abri quelconque, tels des pots en terre
cuite renversés mais avec un trou sur le côté. Enterrez les pots
à une profondeur de plusieurs pouces. N'oubliez pas de leur
donner un plat d'eau peu profond.

GROSSES PIERRES. Glissez des plantes succulentes dans les
fissures et les crevasses d'une grosse pierre. Frottez de mousse
ou de lichen et laissez au soleil et à la pluie le soin de les faire
profiter.

GUÊPES ICHNEUMONS. Ce sont des parasites des larves de
mites et de papillons. Les guêpes adultes se nourrissent de pollen et de nectar, et souvent dans les blessures ouvertes des larves hôtes.

Les guêpes, d'humeur maussade et portées à piquer, sont très efficaces contre une variété d'insectes nuisibles. Elles sont également utiles pour la pollinisation.

GYPSOPHILE. GYPSOPHILE PANICULÉE. Cette plante est presque de rigueur dans les bouquets délicats. En début d'été, ces plantes portent une profusion de panicules plumeuses de petites fleurs blanches ou roses étoilées sur des tiges élancées, créant un bel effet délicat de voile. Elles ne s'objectent pas au coupage et réussissent bien en sol léger et bien drainé, où l'on a mélangé un peu de chaux avant la plantation.

H

HAMAMELIS. CAFÉ DU DIABLE. Cet ornemental rustique fleurit alors que peu d'autres arbustes sont en fleur à l'extérieur. Ses fleurs jaune clair ne souffrent pas des grands froids. Par matins froids, le café du diable «tire» ses graines quand les cosses s'ouvrent en éclatant.

La lotion médicinale bien connue est dérivée d'un extrait de la plante dissous dans l'alcool.

HANDICAPÉS. Le jardinage est une merveilleuse thérapie pour les mésadaptés physiques et mentaux. Les enfants de tous âges, même attardés ou dépourvus, aiment «faire pousser» des choses. Et le jardinage en fauteuil roulant peut ajouter de l'intérêt à une vie ennuyante et monotone.

HARICOT D'ESPAGNE (*Phaseolus*). C'est le roi des haricots ornementaux. Il atteint une hauteur de plus de dix pieds. Ses fleurs sont nombreuses, réunies en grappes, d'un rouge écarlate brillant. La plante est très prolifique; plus vous récoltez de cosses, plus elle en produit. Les cosses ont de douze à seize pouces de longueur et renferment de grosses graines rose vineux marquées de brun, très délicieuses. Les graines laissées sur la vigne jusqu'à maturité peuvent servir à faire des colliers. Il s'agit alors de les percer quand elles sont encore vertes et de les laisser sécher pendant quelques jours sur de grandes épingles.

Ce haricot florifère est idéal comme ornement de murailles, de balcons, de garages ou de maisons. Il fournit une ombre rafraîchissante. Ses feuilles sont démesurément grandes et conservent leur vert riche tout l'été; les fleurs attirent les colibris.

Font de bonnes compagnes: la sarriette, les fraises, les pommes de terre, les betteraves et les radis. Ne pas planter des oignons, cependant, dans le voisinage.

HEDERA. Lierre. Plusieurs plantes, au moment de la floraison, changent leur style de croissance végétative: de rampantes, elles deviennent arborescentes. Ce phénomène, commun chez les annuelles et les vivaces, est rare chez les vignes. Ce développement arborescent est déclenché par le processus de la floraison. Les feuilles de ses branches diffèrent de celles des autres parties de la plante; elles sont étroites et lancéolées.

Les fleurs du lierre ne paraissent qu'après environ quinze ans. L'inflorescence est une grappe de minuscules fleurs de couleur crème. Les boutures prélevées sur les pousses arborescentes gardent la forme adulte.

HELLEBORUS NIGER. Rose de Noël. Cette plante tire son nom du fait qu'elle fleurit en décembre et au cours des premiers mois de l'année. Ses fleurs sont blanches ou teintées de rose. Des drogues pour usage commercial sont extraites des rhizomes. Ces derniers sont un poison violent et, en guise d'avertissement, émettent une odeur désagréable lorsqu'ils sont brisés ou coupés. Le contact avec ses feuilles vénéneuses peut causer la dermatite.

HEMEROCALLIS. LIS D'UN JOUR. Le lis d'un jour est depuis longtemps l'âme des plantations de vivaces. La propagation se fait habituellement en automne, par division des touffes. Mais, pour de meilleurs résultats, on ne doit pas recourir à des divisions plus souvent qu'à tous les deux ou trois ans.

Une autre méthode de multiplication est le marcottage. Les petits plants robustes, sans racines, qui se développent le long des hampes, viennent à mourir, s'ils n'arrivent pas à toucher le sol. Donnez un coup de main à la nature. Après la floraison et lorsque la hampe commence à sécher, coupez la marcotte en raccourcissant la hampe d'environ deux pouces. Placez-la dans un pot rempli de terre appropriée juste sous la surface. L'humidité du sol doit être maintenue. Des racines se développent à partir de la base. Une fois les racines bien développées, la plante peut être repiquée dans le jardin.

HERBES À GAZON. Voici ce dont a besoin une bonne herbe à gazon:

1. Un sol fertile, avec une couche d'au moins six pouces d'humus.

2. Tonte à une hauteur raisonnable. Durant les mois chauds de l'été, alors que les mauvaises herbes deviennent un problème, taillez votre gazon à trois ou quatre pouces. Cette taille est particulièrement bénéfique au ray-grass vivace. Le reste de l'année, taillez le gazon à deux pouces, ce qui lui permet de mieux résister aux maladies.

3. Un arrosage à fond occasionnel.

La digitaire sanguine, peut être la pire des mauvaises herbes, et les bonnes herbes à gazon viennent bien dans des conditions différentes de croissance. Il faut alors modifier l'environnement de la mauvaise herbe.

1. La sagittaire ne pousse pas avec autant de vigueur que les bonnes herbes à gazon dans un sol fertile. Par exemple, elle n'a aucune chance contre le ray-grass et le bluegrass dans de telles conditions.

2. La sagittaire aime se blottir près du sol, ce qui la protège contre la taille courte. Au contraire, cette taille lui donne la possibilité de s'étendre.

HERBES DE JONCHÉES. Dans les pays nordiques, avant l'ère des tapis, les planchers des châteaux et des églises étaient jonchés de divers matériaux organiques pour conserver la chaleur. Parmi les herbes souvent utilisées on retrouvait la lavande, le thym, Acorus calamus, les menthes, le basilic, le baume, l'hysope et la santoline. La marjolaine, qu'on prenait pour un antiseptique, était répandue sur les parquets des églises pendant les obsèques.

HERBES MALVEILLANTES. Certaines herbes, telles la verveine, la bétoine, la mille-feuille et l'armoise, servaient à invoquer les mauvais esprits.

HIBISCUS. «Rose of Sharon». Cet arbuste se distingue par ses fleurs de trois pouces de diamètre, dans les tons de rose, pourpre, blanc ou bleu. Les fleurs s'épanouissent en septembre, alors que peu d'autres arbustes sont en fleurs. Il vient bien même dans des conditions peu favorables et constitue un bon choix pour le jardinier occupé.

HOSPITALISÉS, FLEURS ENVOYÉES AUX PATIENTS. L'envoi de fleurs coupées aux patients hospitalisés est un geste louable, mais dangereux. Selon un journal médical britannique, il peut y avoir risque d'infection. Une concentration dangereuse de bactéries peut se développer en moins d'une heure dans les vases où on a placé les fleurs. Après trois jours, certaines de ces bactéries résistent aux antibiotiques usuels. L'article ajoute qu'il faut éviter de placer de ces fleurs dans les unités de soins intensifs. Il faut être prudent dans les cas de brûlure, de neurochirurgie, et s'il s'agit des nouveau-nés.

HOSTA. *(Funkia)*. Lilas plantaginacé. Cette plante est caractérisée par ses fleurs odorantes hardies et colorées, excellentes pour le coupage, et ses feuilles qui sont dramatiquement splendides dans les arrangements. Hosta crispula, du Japon, porte des fleurs lilas pourpre en forme d'entonnoir, et ses larges feuilles sont lancéolées, à pointes longues, vert foncé, bordées de blanc.

HUMULUS LUPULUS. Houblon. Préparez les jeunes pousses comme l'asperge ou utilisez-les comme condiment dans les soupes. Jadis, on substituait le houblon broyé au bicarbonate de soude. Les fleurs jaune verdâtre sont utilisées commercialement dans la préparation de la bière.

Un oreiller de houblon, au lieu de plumes, favorise le sommeil paisible.

HYACINTHUS ORIENTALIS. JACINTHE. Ces fleurs odorantes sont originaires de l'Europe orientale et de l'Asie occidentale. Leur gros bulbe a une couverture écailleuse pourpre ou blanche, et elles portent des feuilles vert brillant, lancéolées, capuchonnées. L'inflorescence printanière est en grappes d'une hauteur de six à douze pouces. Les fleurs des variétés cultivées sont blanches ou dans divers tons de rouge et de bleu. Les blanches et les bleues sont de bonnes compagnes des tulipes, dont elles mettent en relief les couleurs brillantes.

HYBRIDES. Ce n'est qu'après avoir compris le principe de reproduction sexuelle des plantes, de même que l'importance de l'hérédité et de la génétique, qu'on réussit à produire de nouvelles variétés de fleurs. Par le phénomène d'hybridation, il devient alors possible de prendre une plante avec un caractère particulier (la grosseur de la fleur) et de la croiser avec une autre ayant un autre caractère (la couleur). Les hybrides sont ainsi formées en transportant le pollen de l'une à l'ovaire de l'autre. Les graines qui en résultent sont des hybrides de première génération. Les hybrides produisent aussi des récoltes plus abondantes et des plantes plus robustes. Voir F1.

HYDRANGEA MACROPHYLLA. HYDRANGÉE BOULE-DE-NEIGE. Il existe aux États-Unis au-delà de trente-cinq espèces de ces arbustes ou vignes aux gros racèmes feuillus et de fleurs hardies. Communément appelée hortensia, c'est l'hydrangée en pot ou en caisse, que forcent les fleuristes en vue d'une efflorescence printanière. L'addition au sol de divers produits chimiques permet d'obtenir des fleurs bleues ou roses.

H. macrophylla est extrêmement vénéneux. Des composés de cyanure sont présents, surtout dans les feuilles et les branches.

HYMENOCALLIS. De bonnes plantes en pots de serre. Les fleurs, fortement parfumées et de forme originale, forment une couronne aux bords ondulés et dentés. Elles viennent en tons de bleu et de jaune.

HYPERTENSION. Les fruits et légumes à recommander pour abaisser l'hypertension sont: le brocoli, les carottes, le chou-fleur, le céleri, les cerises, les canneberges, les concombres, Ephedra, les endives, le fenouil, l'ail, le pamplemousse, les goyaves, les melons, les oranges, les pêches, les poires, les poivrons, l'ananas, les grenades, les framboises, les épinards, les fraises, les tangerines et les navets.

HYSSOPUS OFFICINALIS. Hysope.   Cette plante, à port dressé et buissonnant, avec sa floraison bleu foncé et ses feuilles étroites lancéolées, fait bonne figure dans un jardin d'agrément. Elle peut être taillée pour former une haie basse, mais ce serait aux dépens de la floraison. Il en existe aussi des variétés blanches et roses. L'hysope se cultive bien près des treilles. Près du chou, elle en réprime la piéride.

I

IBERIS. *Thlapsi blanc.*   Cette plante se laisse cultiver sans difficulté, même par les horticulteurs en herbe, puisqu'elle s'adapte bien à n'importe quel sol, au soleil ou à l'ombre partielle. Bon petit sous-arbrisseau toujours vert pour les bordures, le long des allées, dans les rocailles ou en plantations massives.

IDENTIFICATION DES SPÉCIMENS.   Pour identifier des plantes vénéneuses, s'adresser au centre antipoisons de votre localité.

INFLORESCENCE.   C'est la disposition ou le mode de groupement des fleurs sur la tige d'une plante. La plus grande inflorescence du monde est celle du Puy raimondii, en Bolivie. Elle émerge à une hauteur de trente-cinq pieds sur un panicule de huit pieds de diamètre. Elle apparaît après 150 ans de vie, après quoi la plante meurt.

INSECTICIDES, PLANTES.   À planter à travers le jardin: asters, chrysanthèmes, cosmos, coréopsis, capucines et souci français et mexicains.

INTÉRIEUR, PLANTES D'.   Les soins cosmétiques des plantes d'appartement les gardent en santé. Enlevez les fleurs mortes ou fanées et les feuilles jaunies, qui risquent d'attirer les insectes ou d'être des foyers de maladies. Rincez occasionnellement le feuillage. La poussière et la saleté barrent le passage de la lumière et obstruent les stomates, par lesquels se réalisent les échanges gazeux avec l'atmosphère. L'utilisation de la seringue peut aider à réduire les populations d'insectes et l'effet rafraîchissant stimule la croissance.

IPOMOEA PANDURATA. Ipomée («Moonflower»). C'est une plante grimpante tubéreuse très robuste, dont les fleurs ressemblent à celles de *I. purpurea,* mais elles sont plus grosses. Elle est appréciée pour son parfum délicieux, rappelant le citron frais.

IPOMOEA PURPUREA. Gloire du matin. Cette favorite populaire possède une beauté simple, surtout dans ses versions modernes telles que Heavenly Blue, Pearly Gates et Scarlet O'Hara. De croissance rapide, il faut lui donner quelque chose qui lui permette de s'enrouler, autrement elle s'agrippe à tout ce qui se trouve près d'elle. Elle est d'un grand succès dans les boîtes à fenêtres. Avec un peu de support elle peut atteindre le plafond à la mi-été, totalement en floraison. Elle est fameuse pour les treillis, les tonnelles ou pour garnir des endroits ternes. On dit qu'elle stimule la croissance des graines de melon.

IRIS. Le nom vient du grec et signifie arc-en-ciel. Ces plantes vivaces attrayantes sont dispersées à travers toute la zone tempérée et fleurissent au printemps, en été, et parfois en automne. Plusieurs des grandes variétés barbues sont merveilleuses, se méritant le nom «orchidée du pauvre».

La racine séchée est utilisée dans les parfums, les poudres et les médicaments.

Une des premières plantes à fleurir dans le jardin, l'iris aime la compagnie des jacinthes et des lis de jour.

ISOLATION, SALLE D'. Placez une nouvelle plante empotée dans un endroit isolé pendant une semaine ou plus. Cela vous donnera le temps de déterminer si elle est libre d'insectes ou de maladies qui risqueraient de se transmettre aux autres plantes en santé.

IXIA HYBRIDA. De toutes les bulbeuses, l'ixia est celle qui présente la plus vaste gamme de couleurs. Elle aime la fraîcheur, ce qui la rend très désirable comme plante d'appartement. Les tiges sont étroites et gracieuses; les fleurs offrent plusieurs tons de blanc, de jaune, de pourpre, de rubis, de bleu et de vert, habituellement avec un oeil noir. Les épis sont garnis de six à douze fleurs, chacune mesurant de un à deux pouces de diamètre.

J

JARDINIÈRES. Vous voulez quelque chose de différent dans un contenant? Procurez-vous un bout de bois flottant au bord d'un lac et couvrez-le de fougères vertes dentelées.

Pour l'intérieur, servez-vous d'une belle pièce de poterie artisanale, d'un panier délicat ou d'un filigrane vieux fer. Les bottes «western» font aussi des jardinières originales. Un vieux seau à charbon est fameux pour les fleurs estivales.

Soyez encore plus innovateur et servez-vous d'une cage d'oiseau pour le balcon. Peignez-la en noir et remplissez-la de marguerites blanches tombantes ou de pétunias en cascade rouges ou jaunes. Peignez-la en bleu turquoise et mettez-y des géraniums roses, des pétunias blancs ou du lierre vert.

Les coquillages sont une autre façon de cultiver des plantes. Des plantes qui s'y adaptent bien sont les gynura, l'aloès, les succulentes, l'orpin et le lierre miniature anglais.

JARDINIÈRE DE PATIO PYRAMIDE. Ce type de jardinière est un intéressant point de mire dans un jardin, sur un balcon ou un patio. Une grande diversité de fruits et de fleurs peuvent être présentés avantageusement. Ou bien, faites-en un jardin miniature de fines herbes. Même les légumes nains se cultivent dans de telles jardinières. À l'intérieur, montez-la sur des roulettes pour en faciliter le déplacement.

JARDINIÈRES POUR FENÊTRES. Voici quelques plantes qui conviennent à ces types de boîtes. Au soleil: géraniums, lantana, soucis nains, capucines, pétunias, salvia, alyssum, ageratum, verveine et lierres traçants.

À l'ombre: bégonias tubéreux et ciriers, impatientes, fuchsia et torenia.

Pour feuillage décoratif: coleus et caladiums.

JARDINIERS VIVENT PLUS LONGTEMPS, LES.   Au cours d'une récente émission de télévision, on a interviewé des personnes de plus de cent ans. Le dénominateur commun chez ces gens était leur capacité de résister au stress. Le National Garden Bureau affirme que les amateurs de jardinage vivent plus longtemps parce que cela leur fait oublier la tension, les craintes et les soucis. Les gens hypertendus, tels les médecins, les pilotes, les policiers, les mères de jeunes enfants et les enseignants se réfugient dans leurs jardins dès qu'ils en ont l'occasion. Le jardin est un lieu de guérison et non uniquement une «fabrique» de nourriture ou de fleurs.

JOAILLERIE.   Les «grains» du jardin sont un boni qui provient des fleurs décoratives et de leurs graines, telles que le maïs ornemental, le tournesol, les fèves de ricin et les plantes de larmes de Job. Mais les grains parfumés de pétales de rose ont toujours été les préférés. Il y eut un temps où ils étaient très en demande pour les chapelets et les colliers sur montures contrastantes d'or ou d'argent.

JUGLANS NIGRA. NOYER COMMUN.   L'odeur des feuilles chasse les insectes.

JULEP, MENTHE.   Si vous avez des fourmis dans votre cuisine, la menthe julep, la menthe verte ou la tanaisie, plantées près des murs ou de l'entrée, aideront à les éloigner.

K

KALANCHOE.   Ces plantes voyantes, à floraison hivernale, font des plantes en pots de longue durée. Originaires des Tropiques et de l'Afrique du Sud, elles appartiennent à la famille des Crassula. Semez-les au printemps pour une efflorescence hivernale et printanière. Les fleurs sont orange écarlate, roses, orange-rouge et blanches.

KERRIA. CORÈTE DU JAPON.   Plante appréciée qui ne craint pas l'ombre, ce petit buisson rustique, dressé, porte de fines branches qui restent vertes tout l'hiver, excepté dans les régions les plus froides, où il prospère, d'ailleurs, s'il est protégé. Il fleurit à la mi-mai avec une profusion de fleurs jaune brillant.

KNIPHOFIA. *Aloès faux.* Ces plantes vivaces, appelées aussi tritomes, dans la gamme surtout du rouge et du jaune orangé, sont spectaculaires dans les bordures. Elles ont besoin de protection en hiver dans les régions froides.

KOCHIA. Kochie à balais. Si vous voulez une ornementale à croissance rapide, essayez la kochie. Elle atteint une hauteur de trente pouces et fait une belle haie annuelle. Le feuillage plumeux devient rouge à l'automne.

KOLKWITZIA AMABILIS. C'est un autre arbuste fleurissant de Chine. Son feuillage propre n'est pas perturbé par les insectes ou les maladies. En juin, la plante en entier devient une fontaine de fleurs campanulées rose pâle. Il atteint une hauteur de sept ou huit pieds et croît n'importe où, survivant même en sol pauvre, sec et sablonneux.

L

LAGERSTROEMIA. Lilas des Indes. Cet arbuste est très cultivé dans le Sud à cause de ses masses de fleurs spectaculaires dans les tons de blanc, de rose, de rouge melon d'eau et de pourpre royal.

La chaleur et la sécheresse ne l'affectent pas. Il n'est pas difficile à cultiver et prend facilement racine. Il suffit de couper une branche, d'enlever les feuilles de la moitié du bas et de piquer ce clone dans un sol humide.

LAIT. Le lait pulvérisé sur les plantes qui souffrent de mildiou ou de mosaïque du tabac peut parfois s'avérer efficace.

LAVANDE *(Lavandula).* La lavande a une longue et enviable histoire comme plante stimulante ou médicinale. On compte parmi ses nombreuses vertus son effet calmant sur l'estomac, son utilité comme désinfectant et sa capacité de soulager les foulures, les maux de tête et de dents. Les mouches l'évitent et, selon les anciens démonologues, le parfum de la lavande est une garantie contre les mauvais esprits. L'essence de lavande est extraite des feuilles. Cette huile stimule aussi la génération de nouvelles cellules, ce qui aide à garder l'épiderme jeune et en santé.

Les variétés utilisées dans l'industrie, en médecine et dans les produits domestiques, font de belles additions à un jardin. Ce sont *L. spica, L. vera et L. stoechas.* Les fleurs et le feuillage sont tous deux aromatiques. La plante doit être cultivée en sol pauvre pour produire plus de parfum; en sol fertile la floraison est plus luxuriante, mais il y a une carence de l'huile essentielle.

LÉGUMES D'ORNEMENT COMESTIBLES. Des légumes d'ornement peuvent être groupés ensemble ou dispersés dans le jardin d'agrément et orner les bordures. Les légumes de formes et de couleurs ravissantes ajoutent une note tout à fait particulière. Pensez aux tomates grimpantes sur un treillis, ou aux concombres qui montent à la verticale s'ils sont bien supportés.

LEONTOPODIUM ALPINUM. EDELWEISS. Cette vivace robuste aime le soleil et le sol sec. Il ne faut pas couvrir la graine parce que la lumière engendre la germination après quinze ou vingt jours. Les fleurs laineuses, étoilées, sont d'un blanc neige à haute altitude; plus bas elles sont gris-vert. La plante atteint douze pouces de hauteur.

LIÈVRES. Ils sortent habituellement la nuit pour trouver leur nourriture. Lorsqu'ils sont trop nombreux, ils peuvent infliger de sérieux dommages au foin, aux légumes, aux treilles et aux jeunes arbres fruitiers. Ils aiment aussi les jeunes fleurs. Si vous trouvez vos plantes dévorées et sans traces d'insectes, il se peut que des lièvres ravagent votre jardin la nuit.

Les lièvres ou lapins de garenne peuvent faire disparaître un jar-din en une seule visite nocturne. Ils ne sont pas faciles à découra-ger, mais essayez du sang séché, de la farine de sang, du poivre rouge ou des cendres de bois.

LIGULARIA DENTALA. Ligulaire.   Cette plante hardie porte de grandes feuilles cordiformes, dont la surface supérieure est vert bronze et l'inférieure rouge acajou foncé. Des fleurs jaune orangé l'illuminent en juillet et août. Elle aime un sol humide, à mi-ombre ou ombre complète.

LILIUM. Lis.   Cette vivace existe dans plusieurs couleurs et res-sort bien au milieu de delphiniums, d'asters et de soucis. Elle se cultive bien dans les plates-bandes surélevées et en massifs le long des murs. *L. longiflorum,* le lis de Pâques, est d'un blanc pur et exhale un puissant parfum. C'est un cadeau très popu-laire à Pâques.

Les lis de Pâques doivent être arrosés régulièrement pendant la floraison. Ils existent depuis plus de 3 000 ans.

LIMACES ET LIMAÇONS SUR LES VIVACES. Corps grisâtres, vermiformes, sans pattes, d'un demi à quatre pouces de longueur à maturité, ils se cachent dans des endroits humides, protégés, le jour. Ils rongent les feuilles la nuit et y laissent une trace de bave. Les feuilles de chou renversées font de bons pièges. On peut aussi épandre des cendres de bois sur le sol. Les crapauds sont très utiles contre ces ravageurs.

LINAIRE *(Linaria vulgaris).* La linaire, qu'on trouve dans des endroits déserts et souvent au milieu du maïs, possède de puissantes propriétés de dissolvant. Elle est, de ce fait, utilisée pour le traitement d'obstructions dans diverses parties du corps, en particulier les intestins, les reins et la vessie. Cette plante est aussi considérée comme l'un des remèdes les plus efficaces contre la jaunisse.

LINNAEUS, CAROLUS (KAARL VON LINNLE). Ce grand naturaliste suédois est né en 1707. Il composa une horloge florale pour déterminer l'heure du jour d'après l'épanouissement et la fermeture de certaines fleurs.

LINUM. LIN. Le lin de Narbonne est une plante vivace élégante, avec un feuillage coriace, bleu-vert, qui convient bien aux endroits ensoleillés ou sur un mur de pierre. Les fleurs sont bleu ciel, avec des yeux blancs délicats. Les plantes de 18 pouces, à tige dressée, mince, portent une floraison généreuse.

LOBELIA. LOBÉLIE GONFLÉE. Cette plante de l'Amérique du Nord s'appelle communément tabac indien. Les feuilles sont pointues et vert jaunâtre, avec des fleurs capuchonnées d'un bleu brillant. C'est une des herbes que les Amérindiens considéraient comme les plus importantes parce qu'elle servait à guérir à peu près toutes les maladies.

À cause de son ton de bleu distinctif, elle est bonne compagne de l'alysson maritime et des boutons de roses dans des bouquets.

LONICERA. CHÈVREFEUILLE. On rencontre de nombreuses espèces de chèvrefeuilles, caractérisées par leur parfum particulier et pleines de miel pour les abeilles.

Il n'y a pas tellement longtemps, on en faisait une décoction pour soulager de la goutte, alors qu'une infusion des fleurs devait présumément être efficace pour les asthmatiques.

Le chèvrefeuille d'hiver (*L. fragrantissima*) suggère le parfum des roses. La floraison apparaît avant les feuilles, et le parfum des profusions de minuscules fleurs porte sur une grande distance, de la fin de février à avril. La plante se plaît autant à l'ombre qu'au soleil et, dans un pot, à l'abri, elle est parfois persistante.

LUNARIA. *Monnaie du pape.* Cette bisannuelle est à son summum comme plante de remplissage jusqu'à l'automne, alors que ses cosses argentées apparaissent en pleine splendeur. Utilisez-les séchées, dans un bouquet d'hiver ou dans un arrangement avec d'autres plantes séchées.

LUNE, POUSSIÈRE DE. Les ensemencements les plus étonnants de l'histoire se sont faits, ces dernières années, dans de la poussière lunaire rapportée par la mission Apollo. On a semé du chou, des choux de Bruxelles, du brocoli, des carottes, de la laitue et des radis dans une matière contenant de la poussière de la Lune, et on a comparé ces légumes avec d'autres semés dans de la poussière terrestre. Pour des raisons encore inconnues, les plantes ont réussi à extraire des nutriments qui étaient indissolubles dans l'eau, sans l'aide de micro-organismes dans le sol. Jusqu'à maintenant, on avait cru que les fongus et les bactéries jouaient un rôle vital dans la transformation des minéraux utilisés par les plantes, mais cette expérience nous oblige à réviser nos positions, puisque les plantes à elles seules semblent capables de dissoudre les minéraux dont elles ont besoin dans la poussière lunaire sans vie.

LUPINUS. LUPIN. Il existe environ cent espèces de lupins aux États-Unis. Ils sont fiers, robustes, et poussent à profusion dans les champs, les prairies et sur les flancs de montagnes. Les fleurs, disposées en grappes denses, dressées comme des flèches, sont bleues, pourpres, jaune-rose ou blanches. Certaines espèces contiennent des alcaloïdes dans toute la plante et sont une cause fréquente d'empoisonnement du bétail.

Le lupin, un légume, contribue à la croissance du maïs et de la plupart des récoltes. Plantez en plein soleil ou à l'ombre claire.

LYSIMACHIA NUMMULARIA. HERBE AUX ÉCUS. Ce membre de la famille de la menthe est une vigne rampante qui revient d'une année à l'autre pour produire de jolies fleurs pourpres, et un parfum qui protège les voisines contre les insectes. Elle se répand rapidement et les tiges prennent racine dès qu'elles touchent le sol. Elle aime l'ombre partielle. Selon certaines sources, l'inhalation du feuillage broyé soulage les maux de tête, et les racines contiennent une substance qui interrompt le saignement.

M

MAGNOLIA (M. STELLATA, M. SOULANGEANA). Le magnolier peut se glorifier d'avoir des fleurs plus grandes que celles de tous les autres arbres de nos jardins. Les feuilles persistantes brillantes, les grandes fleurs blanches délicieusement parfumées, les fruits conoïdes qui passent du vert pâle au rose ont tous contribué à réserver une niche spéciale aux magnolias dans tous les pays où le magnolia est apprécié. Les fleurs sont merveilleuses devant un fond foncé de toujours-verts.

MAHONIAS. MAHONIE. Ces arbustes ont des feuilles comme le houx, des fleurs jaunes parfumées et des baies qui sont à la fois comestibles et délicieuses. Plantez-les comme fond, écrans et couvre-sol.

MAÏS ORNEMENTAL. Le maïs Calico ou Rainbow est souvent utilisé comme décoration durant la période de l'Action de Grâces. Les hybrides multicolores sont un mélange de plusieurs nouvelles variétés. Le maïs à éclater Red Strawberry porte de minuscules épis en forme de fraises bondés de petits grains cramoisis. En plus d'être décorative, cette variéré est un bon maïs à éclater.

MARMOTS. Initiez vos jeunes aux principes du jardinage. Commencez par ce qu'il y a de plus simple. Laissez-leur le loisir de cultiver les légumes et les fleurs qu'ils aiment. Vous pourriez même acheter de jeunes pousses pour assurer le succès qui inspire la confiance. Aidez-les et encouragez-les, mais ne faites pas le travail. Et louez leurs efforts, surtout quand les fruits de leur labeur apparaîtront sur la table familiale.

MARRUBE *(Marrubium vulgare).* Le marrube n'est pas une herbe très décorative; les fleurs sont petites, blanches, comme la menthe, alors que les feuilles sont couvertes d'une laine dense. Contrairement à la plupart des menthes, la saveur et les propriétés médicinales du marrube ne sont pas volatiles, ce qui permet d'utiliser la plante fraîche, séchée ou bouillie sans en perdre la saveur. L'infusion de marrube est bonne pour le rhume et les bonbons, pour la toux.

MASQUE FACIAL DE ROSES. Ce traitement est surtout utile pour la peau huileuse. Les ingrédients sont: 2/3 tasse de farine d'avoine finement moulue, 6 c. à thé de miel, 2 c. à thé d'eau de rose. Bien mélanger la farine et le miel, et ajouter l'eau de rose pour faire une pâte lisse. Enduire le visage et le cou et laisser 30 minutes. Enlever à l'eau tiède et rincer à l'eau froide ou avec un astringent.

MAUVAISES HERBES. Certaines de ces herbes peuvent être utiles dans les plates-bandes. La valériane donne de la vigueur aux zinnias, aux soucis, aux pivoines et aux pensées. Un tapis d'herbes basses de la famille méprisable du pourpier, parmi les buissons de roses, améliore le sol spongieux autour des racines. Le lupin vient en aide au maïs et aux autres récoltes. La gloire du matin rend les racines du maïs plus vigoureuses. La moutarde sauvage est bénéfique aux treilles et arbres fruitiers. De petites quantités de mille-feuille et de valériane donnent de la vigueur aux légumes.

MAUX DE TÊTE. Les romanichels ont un nombre de remèdes de fleurs et d'herbes intéressantes.

(1) Faire bouillir de l'écorce de saule pour les bienfaits de son acide salicylique.

(2) La tête des fleurs de romarin en infusion soulage les maux de tête nerveux.

(3) Une infusion de fleurs de limette séchées guérit un mal de tête en une demi-heure.

(4) Pour un mal de tête aigu, mettre une pincée de marjolaine séchée dans une tasse. Remplir à moitié d'eau bouillante, couvrir et laisser s'infuser dans une tasse. Remplir à moitié d'eau bouillante, couvrir et laisser s'infuser. Boire chaud.

MELIA AZEDARACH. Lilas des Indes. Cet arbre à ombrage réprime les sauterelles et les sauterelles d'Orient. Faites une infusion avec des feuilles fraîches ou séchées. Le fruit en poudre est quelque peu toxique pour la larve du perceur de maïs.

MELISSA OFFICINALIS AUREA. Mélisse dorée. Les fleurs sont blanches, petites et peu remarquables; les feuilles cordiformes sont parfois panachées vert et crème. Écrasée dans la main, la feuille émet un parfum délicieux, semblable à l'odeur citronnée de la verveine. *Melissa* veut dire abeille, en grec, et les abeilles obtiennent de grandes quantités de miel de la fleur. La plante prospère en sol ordinaire de jardin, mais elle doit être dans un endroit ensoleillé et bien drainé.

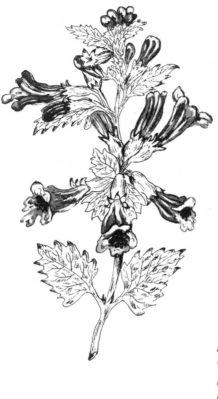

Les anciens Arabes se servaient de la mélisse comme ingrédient dans leurs liqueurs. Comme remède domestique, elle est antispasmodique et digestive.

MENTHES (Mentha).   Plusieurs menthes sont utilisées en médecine, dans la cuisine et pour leur fragrance. Les sept variétés qui suivent sont les plus fréquemment cultivées.

La menthe bergamote (*M. citrata*) porte une inflorescence lavande dense et une odeur caractéristique de menthe.

Mentha gentilis porte des feuilles lisses, vert foncé, panachées de jaune. Elle fait un couvre-sol attrayant.

La menthe poivrée (*M. piperita*) dont le goût est renommé. Elle porte de petites fleurs pourpres à odeur forte et des feuilles dentées de trois pouces.

Les feuilles de la menthe poivrée font une excellente infusion, et on dit qu'elles sont bonnes pour les nerfs. Un auteur, entre autres, considère cette infusion comme l'un des meilleurs tranquillisants de la nature.

La menthe de pouliot *(M. Pulgegium)* est une plante remarquable avec de petites fleurs rose lilas. On croit qu'elle éloigne les insectes du jardin et les puces si on en met sur le collet d'un chat.

M. requienii est une espèce rampante qui n'atteint qu'un pouce de hauteur. Les feuilles rondes et minuscules forment un tapis mousseux. Les petites fleurs pourpre pâle apparaissent en été. Lorsqu'il est blessé ou écrasé sous le pied, le feuillage émet un délicieux parfum. Placez-les entre les pierres des allées.

M. rotundifolia a des tiges rigides de 20 à 30 pouces. Les feuilles arrondies sont légèrement chevelues, gris-vert, de 1/4 pouce. Elle a des fleurs d'un blanc pourpré et n'a pas d'utilité culinaire.

La menthe verte *(M. spicata)* est une autre espèce bien connue. C'est d'elle que provient la gelée.

MENIANTHES TRIFOLIATA. Trèfle d'eau. Cette plante vivace aquatique a des fleurs blanches ou rosées, réunies en racèmes denses, portées par une tige florale de quatre à douze pouces.

MESCALINE ou PEYOTE. Cette drogue provient d'un cactacée miniature. Les tribus amérindiennes l'utilisent à des fins médicinales ou religieuses. Elle entraîne aussi des perturbations psychologiques. Des sondages psychologiques ont démontré qu'elle est cause de confusion chez bien des gens. On ne lui a pas trouvé d'utilité en médecine moderne et on la considère *toujours* comme une *drogue dangereuse*.

MESEMBRYANTHEMUM CRYSTALLINUM. Ficoïde glaciale. Cette petite rampante est cultivée pour son feuillage charnu, succulent, et ses minuscules fleurs blanches. Les feuilles charnues sont couvertes de points étincelants comme de la glace, d'où son nom. À essayer en jardinières suspendues, boîtes de fenêtres et rocailles.

MIEL. Les boissons au miel datent des temps immémoriaux. L'hydromel des Gallois contient des fleurs de sureau, de romarin, de marjolaine, une poignée de chacun, additionnées de clous de girofle, de gingembre, de cannelle et de poivre au goût. Celui des anciens Teutons était un vin qu'ils buvaient pendant trente jours après leur mariage, d'où l'expression «lune de miel».

La saveur et la teinte du miel dépendent des fleurs visitées par les abeilles.

MIMOSA SENSIBLE. *Mimosa pudica.* Cette plante sensible est ainsi appelée parce que ses feuilles se referment avec suffisamment d'irritation ou de temps maussade. C'est un des cas les plus remarquables de réaction psychologique dans le règne végétal. Cette plante craintive réagit de la sorte lorsqu'un insecte grimpe sur sa tige vers ses feuilles sensibles. La tige se redresse, les feuilles se referment, et l'intrus est rejeté par ce mouvement brusque ou la peur le fait battre en retraite.

MIMULUS. Mimule. Ces vivaces, aux grandes fleurs semblables à celles des gueules-de-loup, croissent aux abords des ruisseaux, des étangs et même dans des terrains marécageux. *M. diplacus* est un arbuste florifère de la famille des gueules-de-loup, qui atteint une hauteur de 4 à 5 pieds. Il présente une floraison dans les tons de jaune, rouge et orange. Cultivez-les en plein soleil, en sol bien drainé; les plantes tolèrent la sécheresse.

MINÉRALES, DÉFICIENCES. Il a été démontré que des éléments considérés comme secondaires, tels que le calcium, le bore, le silicium et le manganèse, ont une influence appréciable sur les maladies des plantes. Des remèdes maison sont donc utilisés par les horticulteurs d'expérience. Des clous rouillés autour des racines des roses, par exemple, aident à garder les plantes en santé et libres d'insectes et de mildiou.

MINI-SERRE. Pour faire prendre racine aux violettes africaines, bégonias rex, roses ou jeunes pousses de toujours-verts, utilisez un pot de beurre d'arachides de trois livres, tourné à l'envers sur son couvercle, comme serre. Mettez du gravillon humide sur le couvercle. Posez ensuite sur le gravillon un pot contenant les pousses. Égouttez tout excès d'eau et tournez pour sceller le couvercle.

MIRABILIS JALAPA. Belles-de-nuit. Les scarabées japonais, une peste sur les pêchers, aiment déguster le feuillage de ces plantes et ne semblent pas se rendre compte qu'ils commettent un suicide en le faisant. Déterrez les plantes à l'automne et gardez-les avec soin durant l'hiver, pour les utiliser l'année suivante. Le feuillage est réellement vénéneux; attention aux enfants.

MITES. On préconise de plus en plus, de nos jours, l'élimination biologique par l'utilisation de prédateurs et de parasites naturels. La mite prédatrice des mites (*Phytoseiulus persimilis*), par exemple, peut s'acheter dans le commerce. Vous pouvez aussi utiliser du soufre et en saupoudrer sur les deux faces des feuilles. Les mites sont aussi chassées par l'oignon, l'ail et la ciboulette.

MOUCHES BLANCHES. Elles sont réprimées par la capucine, le souci et le faux coqueret (Nicandra).

MOUSTIQUES ET MOUCHERONS. Pour les éloigner lors de soirées à l'extérieur, ramassez des herbes aromatiques telles que le sauge, le romarin et autres; placez-les dans une grande boîte en métal, saupoudrez de paraffine et allumez.

N

NARCISSUS (*Amaryllidaceae*). Narcisse. Cette ravissante vivace, en bordures et massifs solides, est une des premières à accueillir le printemps. Les fleurs passent par la gamme du jaune, du jaune avec blanc, de l'orange, du rose, de l'abricot et de crème. Mais, attention, les bulbes sont vénéneux.

Semez les soucis africains (*Tagetes erecta*) avant de planter les bulbes de narcisses, comme protection contre certains nématodes qui les attaquent.

NARCISSUS PSEUDO-NARCISSUS. JONQUILLES. Elles sont aussi des annonciatrices du printemps. Leur ton jaune gai s'entend bien avec le pourpre du muscari; ou vous pouvez encadrer la plate-bande avec des crocus. Elles sont très répandues dans les jardins printaniers.

Les jonquilles annoncent le printemps avec leurs fleurs jaune vif. De plus, elles répriment les taupes. Elles s'entendent bien avec les jacinthes, dans le jardin du printemps.

NÉMATODES. Les nématodes sont réprimés par les soucis, le sauge écarlate, le dahlia, le calendula (souci en pot) et l'asperge.

NÉMOPHILIA MENZIESII. NÉMOPHILE. Cette plante partage les honneurs avec l'herbe-aux-chats comme friandise pour les chats.

NERIUM OLEANDER. LAURIER ROSE. Plante jolie mais vénéneuse. Elle fait un arbuste d'une hauteur de quinze pieds environ et porte des feuilles lancéolées coriaces et des fleurs voyantes, rosacées, dans les tons de rouge ou de blanc. L'oléandre est facilement cultivée à partir de boutures. Toutes les parties de la plante sont vénéneuses.

Japaca, oléandre jaune (*Theretia peruviana*). Toutes les parties, sauf les feuilles et la pulpe des fruits, sont utilisées pour une extraction à l'eau froide, qui est efficace contre nombre d'insectes, surtout les pucerons.

NICANDRA. C'est une jolie plante aux fleurs bleu pâle. On dit que toute punaise qui ose s'en prendre à son feuillage est vouée à une mort certaine. Elle prospère à l'ombre, mais ses fleurs sont plus nombreuses au soleil. Semez-la en sol fertile.

NICANDRA PHYSALODES. Plantez cette annuelle pour réprimer les mouches blanches.

NOMS SCIENTIFIQUES. Ce sont les noms que les botanistes donnent aux plantes. Ils sont en latin et universels. Ils se composent de deux termes: le nom du genre et celui de l'espèce. Par exemple, en parlant de *Rosa setigera*, on a pour ainsi dire le nom de famille et le prénom (genre et espèce). Cette détermination se fait d'après les organes reproductifs.

NYMPHEA. Nénuphar. Les nénuphars, comme beaucoup d'autres plantes, ont été hybridés, et leurs variétés sont maintenant pratiquement innombrables, eu égard aux créations magnifiques et à la beauté des formes et des coloris.

O

ODEUR. Voir Fragrance.

ODEURS DE FEUILLES. Les feuilles conservent leur senteur beaucoup plus longtemps que les fleurs. Elles sont souvent plus odoriférantes à l'état sec que frais. Pour libérer le parfum des herbes et des feuilles, les broyer dans un mortier avec un pilon.

OENOTHERA. Enothère. On dit que l'huile de cette plante est la source la plus riche du monde d'acides adipeux naturels insaturés. On y recourt dans les cas d'obésité, de maladie mentale, de maladies du coeur, de l'arthrite, et pour soulager la dépression à la suite d'un excès d'alcool.

La variété *O. tetragona*, Fireworks, est une plante agréable, au feuillage nain vert foncé, teinté de pourpre au printemps. Les fleurs sont à boutons rouges très abondants. Floraison en juin et juillet.

O. missouriensis, énothère du soir, est classifiée comme fleur sauvage. Elle porte d'immenses fleurs jaunes, de quatre à cinq pouces, en forme de tasse. C'est une espèce rampante qui convient parfaitement aux bordures et aux rocailles. Elle aime un sol fertile, bien drainé et ensoleillé.

L'énothère est facile à cultiver et à diviser. Son huile est utilisée pour une foule de problèmes de santé, telles les maladies du coeur et l'arthrite.

OFFICINALIS. Le nom d'une plante suivi de ce qualificatif signifie qu'elle est inscrite dans la pharmacopée officielle, recueil de recettes ou formules pour préparer les médicaments.

OISEAUX. Alors que la multiplication de certaines plantes s'effectue par des amis insectes, qui transportent le pollen d'une plante à l'autre, chez d'autres, c'est l'oiseau-mouche qui s'occupe de cette tâche.

Les oiseaux jouent aussi un rôle vital de propagation des graines de plusieurs fleurs, et ils aident à conserver l'équilibre de la nature en réduisant la population des insectes.

Mais les fleurs ne sont pas toujours gentilles à leur égard. L'arum tacheté d'Europe, par exemple, empoisonne les messagers qui portent ses graines; la chair en décomposition des oiseaux permet aux graines de s'y nourrir et de germer.

Par leur beauté, leur chant et leur habileté à chasser les insectes, les oiseaux apportent une contribution avantageuse aux jardins d'agrément et aux potagers. Pour les attirer, offrez-leur nourriture et abri. Les haies et les arbustes, de même que les arbres, leur permettent d'établir leurs nids et de s'y abriter.

En choisissant vos plantes pour votre aménagement paysager, rappelez-vous que les oiseaux aiment la variété. Et n'oubliez pas qu'ils ont aussi besoin d'eau.

OISEAUX-MOUCHES. Ces minuscules créatures sont dotées d'une excellente vision et sont facilement attirées par les fleurs d'un rouge brillant qu'elles décèlent à grande distance. Une fois dans le jardin, cependant, dans leur quête de nectar et de petits insectes, elles visitent les fleurs de toutes les couleurs.

Les fleurs dites d'oiseaux-mouches sont longues et tubulaires. Elles contiennent des quantités copieuses de nectar et sont horizontales ou tombantes plutôt que dressées. Planant devant la fleur, les oiseaux y insèrent leur long bec, et leur langue encore plus longue, et battent les ailes à une fréquence de plus de trois mille fois à la minute.

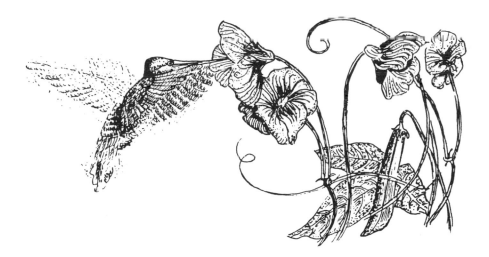

Sans plumes, le plus petit des oiseaux-mouches n'est guère plus gros qu'un bourdon. Le bec long et effilé de cet oiseau est particulièrement adapté pour sucer le nectar des fleurs à gorge profonde.

OKRA *(Hibiscus esculentus).* C'est un de nos plus beaux et plus imposants légumes. Il présente de grandes fleurs jaunes dont raffolent les bourdons. L'okra sert de base pour le gombo, reconnu comme aliment d'amour, développé par les esclaves lorsqu'ils furent emmenés en Louisiane. C'est à La Nouvelle-Orléans qu'ils inventèrent leur fameux ragoût.

OMBRAGE. Deux plantes ravissantes pour les endroits ombragés, qui vont bien ensemble, sont le *Dicentra eximia,* au feuillage dentelé et aux fleurs roses, cordiformes, et le muguet *(Convallaria majalis)*, une délicate vivace à petites fleurs blanches. Une troisième est la hosta *(funkia)*, appréciée pour ses larges feuilles décoratives.

ORCHIS. ORCHIDÉE. Tous les membres de la famille ont une ressemblance avec les fleurs qu'on trouve dans les serres et chez les fleuristes. La parenté compte plus de 6 000 espèces et un bon nombre sont des fleurs sauvages qui croissent dans les forêts et les terrains marécageux.

Dans les pays tropicaux, plusieurs espèces d'orchidées sont des plantes aériennes.

L'orchidée assume bien des formes inusitées. Les fleurs d'une espèce, entre autres, ont l'air de papillons. Une autre espèce donne la vanille. Les tubercules d'une autre sont séchées pour leur farine nourrissante.

Elle fleurit plus longtemps que toutes les autres fleurs, et les fleurs de certaines espèces restent même ouvertes pendant plus de cinq semaines.

L'orchidée la plus grande est *Grammatophyllum speciosium,* de la Malaisie, qui atteint une hauteur de huit pieds. La plus grande fleur est celle de *Selenipedium caudatum.* Ses pétales ont dix-huit pouces et s'étalent sur trois pieds.

Le sabot de Vénus de teinte rose est une sorte d'orchidée sauvage tout aussi attrayante que toutes les autres espèces tropicales.

OREILLERS. Les fleurs et les herbes furent jadis très en vogue lorsqu'on désirait avoir des oreillers odorants. Ils étaient faits de roseau, fleur de lavande, verveine citronnée, reine des prés, racine d'iris, romarin, géranium rosacé, fougère odoriférante ou aspérule odorante. Les aiguilles de pin blanc sont aussi très agréables.

ORGANIQUE, MATIÈRE. Cette matière dégage graduellement des éléments nutritifs nécessaires à la croissance des plantes, mais elle est d'une grande valeur pour d'autres raisons:

1. Elle améliore l'aération du sol.

2. Elle en améliore la capacité de rétention de l'eau.

3. Elle réduit l'incrustation du sol.

4. Elle stimule la croissance de micro-organismes bénéfiques.

5. Elle aide à contrôler les nématodes en soutenant les parasites, les prédateurs et les maladies qui les attaquent.

ORNITHOGALUM. ÉTOILE DE BETHLÉEM. Elle fleurit tôt au printemps. Ses fleurs sont blanches, légèrement rayées de vert. Elle est excellente seule, en massifs, ou comme bordure pour une plate-bande de jonquilles.

95

OSMOSE. C'est le passage d'un fluide dans un autre à travers une membrane qui les sépare. Les fluides peuvent être des liquides ou des gaz. Ce passage, ou transfusion, aboutit au mélange de deux fluides. L'osmose se produit à travers une membrane semi-perméable qui laisse passer certaines substances et non d'autres. Les plantes dépendent de l'osmose. Les minéraux dissous dans l'eau passent du sol à la plante à travers ses membranes. La pression osmotique est probablement la raison de l'ascension de la sève jusqu'à la cime des arbres.

OXYDENDRUM ARBOREUM. L'intérêt et la beauté de ses fleurs et de son feuillage font de cette plante une proche rivale du cornouiller. Les fleurs campanulées odorantes sont petites, ressemblent au muguet et apparaissent en été en longues grappes pendantes. Ce petit arbre est précieux pour son feuillage d'automne écarlate très brillant. Sa croissance est lente, ce qui peut être un avantage en certaines circonstances.

P

PAILLIS. Un bon paillis peut permettre de doubler le temps entre les arrosages des plates-bandes. Les paillis organiques agissent comme isolants à cause de leur faible conduction de chaleur. D'autres ont l'effet contraire: les paillis de gravillon foncé tendent à réchauffer les sols de couleur pâle, alors que le paillis organique tend à les garder frais. Servez-vous de ce principe comme guide pour ralentir ou accélérer la croissance des plantes au printemps.

PALMARÈS DES DIX EN TÊTE. Selon la W. Atlee Burpee Company, les dix fleurs pour lesquelles il y a le plus de demande par les clients sont les soucis, les zinnias, la balsamine, les pétunias, les géraniums, la célosie, les asters, les mufliers, les coleus et les bégonias à racine fibreuse.

PAPAYE *(Asimina triloba).* La partie aérienne en poudre produit un certain effet sur les vers de farine.

PARFUM. Cette qualité invisible des fleurs est un de leurs plus importants atouts. Malheureusement, un bon nombre de nos hybrides modernes ont perdu leur fragrance, et seules les variétés moins développées semblent l'avoir conservée. Donc, si vous désirez un jardin plein de parfum, cherchez les variétés moins voyantes.

PARTAGE. Les horticulteurs comptent parmi les gens les plus généreux du monde, et un de leurs plus grands plaisirs est le partage, une expérience qui fait les délices à la fois du donneur et de celui qui reçoit, si la plante est rare.

Une plante de cet ordre ne doit pas être facile à trouver dans les listes courantes des catalogues ou des magasins.

Un exemple de cette catégorie est l'*Adonis amurensis,* vivace du début du printemps, en floraison parfois avant même la fin de la fonte des neiges.

Une autre plante intéressante comme cadeau est la sanguinaire, originaire de l'Amérique du Nord, mais peu connue.

D'autres exemples sont *Narcissus asturiensis* et *Allium moly.*

PASSIFLORA. FLEUR DE LA PASSION. Selon la légende, ces fleurs furent nommées ainsi par les premiers missionnaires qui trouvaient que les étamines et les styles formaient, avec la couronne, un ensemble remarquable ressemblant aux instruments de la Passion.

PAVOT (*Papaver*). Un grand nombre de fleurs diverses portent ce nom, quelques-unes indigènes, d'autres importées. Font partie de cette famille: *Eschscholzia californica, Papaver rhoeas, Papaver nudicaule, Romneya coulteri, Eschscholzia mexicana* et *Papaver radicatum.*

Plusieurs variétés de pavots vont bien en bordures vivaces ou dans les rocailles.

PÊCHE À L'AIDE D'HERBES.   L'huile d'anis sur les leurres attire le poisson, de même que le jus d'ache et de livèche, et la racine infusée d'osmorhize de Clayton.

PELOUSES.   Les pelouses sont le spectacle le plus vert sur terre. Là où les plates-bandes sont le tableau, les pelouses sont souvent l'encadrement. Une pelouse est rafraîchissante: une acre de gazon devant votre maison renvoie dans l'air 2 400 gallons d'eau par jour en été. C'est l'équivalent d'un climatiseur de 140 000 livres. Avec les arbres, les arbustes et les fleurs, une pelouse aide à purifier l'air par sa contribution en oxygène.

PENSÉE (Violette).   La «fleur avec un visage» n'est en réalité qu'une variété cultivée de la violette. Les fleurs ravissantes peuvent être pourpres, violettes, bleues, jaunes, blanches, brunes ou un mélange de toutes ces couleurs. Plus on coupe de pensées, plus il en fleurit. Une fois montées en graine, elles cessent de fleurir. Elles se multiplient facilement à partir de boutures ou de graines.

La pensée des champs *(Viola tricolor)* germe bien avec le seigle. Et la croissance du seigle est améliorée en présence de quelques pensées. Il n'en est pas de même si les pensées sont cultivées en présence du blé.

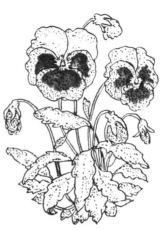

On a beau cueillir les pensées, elles ne cessent de fleurir.

PERCEURS. L'ail planté autour des arbres fruitiers éloigne les perceurs, mais il est préférable de le faire lorsque les arbres sont jeunes et nouvellement plantés. Les capucines sont aussi utiles. Pour protéger les plants de courge, on peut faire tremper les graines dans du kérosène pendant une nuit.

PÉTUNIA (PÉTUNIA). Apprécié à travers le monde comme plante estivale, le pétunia tombe sous quatre types: grandiflora doubles et simples, multiflora doubles ou simples. Il sont «capables d'en prendre», mais ils fleurissent mieux et plus longtemps s'ils sont généreusement nourris une fois par mois. Ils attirent de beaux papillons de nuit et le parfum de certaines espèces est très agréable.

PEYOTE. Voir Mescaline.

pH. Le pH du sol est important, soit dans un jardin d'agrément, soit dans un potager. Les tests peuvent se faire à l'aide de trousses de vérification ou en faisant analyser un échantillon du sol par un laboratoire professionnel.

PHILADELPHUS. SERINGA. Rustiques pour la plupart, ces arbustes à feuillage caduc varient en hauteur de deux ou trois pieds jusqu'à quinze ou vingt pieds.

Plusieurs hybrides ont été produits. L'un d'eux, *P. virginalis,* est parmi les meilleurs et les plus parfumés. Le seringa de Lewis odorant, P. coronarius, est le plus commun. Ses fleurs dégagent un parfum intense que certains trouvent trop fort en appartement. Les variétés à fleurs doubles dégagent un parfum moins intense et durent plus longtemps comme fleurs coupées.

PHILODENDRON. Chêne-liège. Ce sont de beaux arbres à feuillage caduc, au tronc court et à branches largement étalées. Les fleurs, mâles et femelles, sont portées par des arbres différents en été.

Le philodendron appartient à la famille de la rue, Rutaceae, et plusieurs espèces ont l'odeur aromatique d'autres membres de la famille. Il partage aussi les propriétés répressives de la rue et une décoction faite avec l'écorce détruit les insectes.

Le nom vient du grec, *phellos*, écorce, et *dendron*, arbre, à cause de l'écorce liégeuse de plusieurs espèces.

PHLOX DRUMMONDII. Phlox. Le nom provient d'un mot grec qui signifie flamme. La fleur vive, cependant, ne devient jamais flamboyante. Les phlox sont de véritables espèces nord-américaines et sont des fleurs de choix parce qu'ils sont rustiques et croissent bien en sol fertile. Tous les phlox annuels sont des dérivés de *P. drummondii,* fleur sauvage du Texas. Les phlox exhalent un parfum délicieux et dominent le jardin pendant une longue saison durant l'été.

Ils sont attrayants dans des paniers suspendus avec browalia ou lobelia. Ils font un bon couvre-sol avec des bordures de nicotiana ou zinnia et vont bien en plates-bandes. Semez-les là où ils doivent croître parce qu'ils n'aiment pas la transplantation.

PHYSALIS. Lanterne chinoise. La lanterne chinoise est souvent cultivée pour ses calices renflés décoratifs rouge-orange qui s'utilisent coupés et séchés. Étant une plante agressive qui tend à «prendre le dessus», il faut la cultiver en un endroit désert pour prévenir qu'elle n'entrave d'autres fleurs.

PIÈGES, PLANTES. Certaines plantes gagnent leur vie par la répression de difficultés possibles, d'autres en leurrant les insectes nuisibles loin des plantes de plus grande valeur. Votre fleuriste devrait pouvoir vous suggérer ce qui peut convenir dans votre cas particulier.

PIEROCARYA STENOPTERA. Les feuilles en poudre de cet arbre ornemental sont quelque peu toxiques pour la coccinelle mexicaine des haricots.

PIMPINELLA ANISUM. ANIS. C'est une annuelle aux fleurs blanches appartenant à la famille des carottes. Lorsqu'elle est complètement sèche, la graine germe avec difficulté. Vous obtiendrez donc de meilleures plantes en utilisant vos propres graines fraîches, et l'assaisonnement de vos pains, gâteaux et biscuits sera plus prononcé. Incorporez les feuilles vertes dans vos salades comme garniture.

La graine d'anis germe mieux et avec plus de vigueur en compagnie de la coriandre. L'huile d'anis attire le poisson.

PINCEMENT DES PLANTES. Employé par les horticulteurs, ce terme signifie la suppression des bourgeons ou de l'extrémité des rameaux, de manière à faire refluer la sève sur d'autres parties de la plante.

PIQÛRES D'INSECTES, DÉFENSE CONTRE LES. Les suites des piqûres d'insectes peuvent couvrir la gamme des banales aux fatales. Les quatre insectes les plus incommodants sont le bourdon, l'abeille, la guêpe jaune et la guêpe.

Pour éviter les problèmes, ne vous promenez pas les pieds nus, et soyez sur vos gardes lorsque vous coupez le gazon, taillez les vignes ou enlevez les mauvaises herbes. Portez des vêtements dans les tons neutres et évitez les imprimés floraux. Pour un insecte sans trop d'intelligence, un dessin floral risque d'être perçu comme un bouquet de fleurs. Les insectes sont aussi attirés par le parfum et les fixatifs pour les cheveux. Si vous essayez de les éloigner, vous ne faites que les provoquer. À ce jour on n'a pas trouvé de chasse-insecte efficace contre ces bestioles piquantes.

Un nouveau vaccin à base de venin d'insectes vient d'être développé qui protège contre les réactions qui peuvent se révéler fatales. Il existe aussi des trousses d'urgence qu'on peut se procurer avec une ordonnance médicale.

Si vous ou un membre de votre famille êtes allergique aux piqûres d'insectes, sachez prendre les précautions qui s'imposent.

PISCINES. Vous pouvez avoir un carnaval de couleurs sans rencontrer le désagrément d'un nettoyage constant, si vous faites un choix judicieux des plantes qui ornent votre piscine. Bien entendu, les plantes le moindrement épineuses sont à proscrire. Choisissez des plantes qui ne font pas de dégâts.

N'oubliez pas que les débris provenant des plantes doivent s'enlever à la main pour prévenir l'obstruction du filtre.

PISSENLIT. *(Taraxacum officinalis).* Les pissenlits dans les pelouses ne viennent pas en concurrence avec le gazon à cause de leurs longues racines pivotantes profondes. Celles-ci transportent des minéraux, le calcium en particulier, des niveaux profonds vers la surface du sol. Elles enrichissent donc le sol de minéraux qui, autrement, auraient été perdus dans les profondeurs.

Les pissenlits, comme le trèfle et la luzerne, préfèrent les sols profonds et fertiles.

Juliette de Bairacli Levy, dans son *Herbal Handbook For Everyone*, affirme: «C'est une des plantes les plus estimées des herboristes... Il purge le sang et les lymphes, et tonifie le sang. Il est aussi efficace contre les verrues et les boutons durs. Un régime de verdure améliore l'émail des dents.»

Les pissenlits favorisent la croissance des autres fleurs. Ils stimulent la maturation plus rapide des fruits. Les racines, séchées et moulues, peuvent servir de substitut du café. Tôt au printemps, les boutons sont délicieux avec des poireaux, légèrement assaisonnés de beurre, de sel et de poivre.

PLANTAIN *(Plantaginaceae).* Cette mauvaise herbe est souvent source d'ennuis pour les jardiniers, ses graines étant répandues par les oiseaux qui en sont avides. Elle a cependant une valeur comme mesure d'urgence pour arrêter le saignement. Écrasez ou mordez les feuilles pour en libérer le jus et appliquez directement sur la blessure.

Le plantain est utilisé depuis des centaines d'années pour la guérison des fractures. Gardez-en quelques plants dans le jardin en cas de besoin.

PLANTES D'ÉPICERIE. Des projets de culture hivernale peuvent se trouver dans votre sac d'emplettes. Vous pouvez retirer un certain plaisir à cultiver de telles plantes à partir des graines, même si elles ne produisent pas de vrais fruits. Les agrumes sont un bon commencement et les patates peuvent vous donner une vigne intéressante.

PLANTES D'APPARTEMENT. Voici quelques suggestions pour prévenir certains problèmes:

Fertilisation excessive. Le fumage de ces plantes ne doit pas être trop fréquent. Une fumure liquide diluée une fois par mois suffit. À retenir: ne pas fumer une plante pour la faire croître, mais la fumer parce qu'elle croît.

Arrosage. Pas assez vaut mieux que trop. L'excès d'eau est une cause majeure de la mort des plantes. Une surface sèche n'est pas un indice fiable de besoin d'eau à cause de l'atmosphère sèche de l'intérieur d'une maison.

Lumière insuffisante. Il n'est pas facile d'éclairer les plantes de façon adéquate à l'intérieur. La meilleure solution est d'utiliser des lumières fluorescentes, lesquelles émettent toutes les couleurs spectrales. Les plantes florifères, qui ont besoin de lumière, doivent être placées devant les fenêtres où pénètre le soleil. Les plantes à feuillage préfèrent la lumière indirecte sans soleil. Rares sont celles qui prospèrent dans les couloirs sombres.

Humidité appropriée. Un bon degré d'humidité est très important. Pour la plupart des plantes, il doit être de 50 à 60 pour cent.

Excès de chaleur. La chaleur dans une maison est souvent plus élevée que celle qui est recommandée pour les plantes. Une pièce fraîche est préférable pour la croissance des plantes. Celles-ci ont besoin que l'air circule, même par temps froid, mais il faut éviter de les placer dans un courant d'air ou devant une bouche d'air.

Pour propager la plante araignée, enlevez et repiquez une
de ses petites araignées.

Partir une queue d'ânon est
facile. Piquez une des feuilles
rondes dans un pot.

La mastication des feuilles de
cette plante (dieffenbachia) rend
muet pendant plusieurs jours.

La dracaena porte des feuilles
qui ont une grande ressemblance avec celles du palmier.

POINSETTIA *(Euphorbiaceae).* Les fleurs de cette plante de la famille des euphorbes sont petites et sans intérêt, mais elles sont fréquemment entourées de bractées spectaculaires ressemblant à des pétales. Les bractées sont habituellement rouge clair, mais elles peuvent être jaunes ou blanches. Le rouge vif des bractées fait contraste avec les feuilles vertes, ce qui en fait une plante populaire à la période de Noël.

Les cochenilles sont parfois un problème. L'alcool leur est fatal.

Les pucerons des racines affaiblissent et rabougrissent ces plantes, et parfois causent leur mort. Bien tasser le sol autour de la plante.

POIS VIVACES. Utilisez cette plante pour contrôler les mulots.

POIVRONS, JUS DE. Selon une étude réalisée en Californie, les jus extraits de plantes succulentes telles que le piment doux sont, pour d'autres plantes, une protection efficace contre les virus. Ces jus sont efficaces contre les maladies transportées par les insectes ou le vent. Phénomène étrange, la pulvérisation ne tue pas les virus, mais rend plutôt les plantes invulnérables.

Les vieux jardiniers plantent des piments forts au milieu de leurs fleurs pour décourager les insectes nuisibles.

POLLEN. Les petits grains jaunes qu'on voit sur la plupart des fleurs sont le pollen. Ils servent à former les graines. Les plantes fabriquent le pollen dans les anthères des fleurs. Les anthères sont les organes de reproduction mâles. Les organes femelles comprennent le stigmate qui reçoit le pollen et le conduit à l'ovaire où se forme l'ovule. La pollinisation est tout simplement le transfert du pollen de l'anthère au stigmate. C'est alors que s'effectue la fertilisation.

Lorsque ce transfert se fait chez une même plante, il y a auto-pollinisation. Il y a pollinisation par croisement si la fleur dépend du vent, des insectes, des oiseaux, des mouches ou d'autres moyens de transport du pollen d'une plante à l'autre.

Le pollen de la plupart des fleurs est hautement inflammable et peut exploser comme de la poudre s'il tombe sur une surface très chaude.

Le vent disperse les graines d'un bon nombre de plantes, y compris celles de toutes les herbes et céréales à grain.

POLYGONUM BISTORTA. Renouée. La renouée de Virginie est capable d'attacher un noeud marin qui est mis sous une tension tellement forte lorsqu'elle sèche qu'elle éclate, lançant ses graines à grande distance. La médecine folklorique utilisait les racines tordues comme remède contre le venin des serpents.

POMME D'AMBRE. Prenez une petite orange à la peau mince et couvrez-en toute la surface avec des clous de girofle. Roulez ensuite l'orange dans de la racine d'iris et de la cannelle en poudre, en en faisant adhérer le plus possible. Enveloppez dans du papier de soie et placez dans un endroit sec et bien aéré pendant plusieurs semaines. Enlevez le papier, secouez l'excès de poudre, et la pomme est prête à être utilisée. Suspendez-la dans une penderie où elle partagera son parfum pendant plusieurs semaines.

PORTULACA GRANDIFLORA. Pourpier. Ce couvre-sol clinquant est cousin germain du pourpier gras. Il pousse bien dans les sols chauds, secs et peu profonds dédaignés par toutes les autres fleurs. Les fleurs sont rouges, magenta, orange et blanches, de juillet à octobre. La culture est simple. Il suffit de disséminer les graines sur le sol râclé lorsqu'il fait chaud.

Le pourpier fait un agréable tapis. Il prospère en sol sablonneux, dans des endroits ensoleillés et chauds.

POTS À FLEURS. Laissez à votre lave-vaisselle le soin de stériliser vos pots. Frottez-les d'abord pour y enlever la terre et les sels accumulés. Ils en sortiront propres, stérilisés et prêts à être utilisés.

POURPIER GRAS. Le pourpier est une mauvaise herbe. Ne l'ajoutez pas dans votre compost parce qu'il va survivre et repoussera dans votre jardin.

PREMIER LIVRE DE JARDINAGE. Publié en Angleterre en 1563, le premier livre de jardinage, intitulé *A Most Briefe and Pleasaunt Treatyse Teachynge Howe to Dress, Sowe and Set a Garden*, fut écrit par le Londonien Thomas Hyll. La botanique et la médecine, qui ne faisaient qu'une à l'époque de Hyll, ne faisaient que commencer à se libérer des influences de la superstition et de la sorcellerie, influences qui sont souvent évidentes dans le livre de Hyll.

107

PRIMULA PARRYI. *Primevère.* En été, cette fleur présente des fleurs cerise intense avec un oeil jaune. La plante préfère le plein soleil ou l'ombre partielle et aime avoir les pieds dans l'eau! Elle s'adonne bien avec les ibérides, les pensées, les soucis et les violettes.

PROLIFÉRATION. Dans le règne végétal, ce terme signifie nouvelle croissance par division de cellules ou par bourgeons.

PROTECTION DES FLEURS. L'ail planté avec les fleurs est une protection contre les insectes et en rehausse souvent la fragrance. Il en est de même des oignons, de la ciboulette et des poireaux.

Q

QUARANTAINE, PLANTES EN. La quarantaine des plantes est une loi qui régit le transport de plantes ou d'autres matériaux qui risquent d'être porteurs de maladies ou d'insectes nuisibles.

R

RACINES. Les racines sont un des trois organes essentiels à la croissance des plantes. Les deux autres sont les tiges et les feuilles. Les racines croissent habituellement dans le sol, mais chez certaines plantes cette croissance se fait dans l'eau ou dans l'air.

RAISINS. C'est la lumière du soleil sur les feuilles et non sur les raisins qui détermine s'ils peuvent être cultivés. La couleur des raisins sera normale s'ils sont pourvus d'une surface de feuillage adéquat en proportion de la quantité de fruits à produire. Les treilles ont besoin de pousser dans un endroit ensoleillé et bien aéré.

Les raisins se propagent habituellement par boutures, mais ils produisent quand même des graines fertiles et des fleurs qui font les délices des abeilles.

RANUNCULUS. Cette belle vivace dans les tons de jaune, orange, rouge, blanc et rose fait belle figure en massifs. Elle s'entend bien avec les mufliers, les pensées et les jonquilles.

RESEDA ODORATA. Mignonette. La mignonette est pourvue d'une masse basse, touffue, de feuilles lisses, vert moyen. Les fleurs minuscules, formées de pétales jaune-blanc, insignifiants, apparaissent réunies en racèmes. La réséda convient aux bordures et demande une température fraîche et un sol léger.

RHUME DES FOINS. Il peut être utile de savoir ce qu'il faut éviter et à quelle période de l'année.

Des mauvaises herbes de toutes espèces polluent l'atmosphère, de mai à octobre. Les deux pires mois pour l'herbe à poux sont août et septembre.

RIDES. L'une des préparations les plus en vogue fut inventée un siècle avant la naissance de Jésus par un médecin grec du nom de Galen. En voici la recette: faire fondre quatre onces de cire blanche dans 500 grammes d'huile de rose. Remuer avec soin en ajoutant un peu d'eau froide, jusqu'à apparence blanc clair. Rincer ce mélange dans de l'eau de rose et ajouter de petites quantités d'eau de rose et de vinaigre de rose pour obtenir la bonne consistance.

L'eau de rose peut s'acheter dans les boutiques spécialisées.

ROCAILLES. Les rocailles peuvent s'adapter à tout endroit: pentes, vallées, terrains plats, au soleil ou à l'ombre, et près de l'eau.

Toutes les rocailles doivent inclure du matériel nain en fait d'arbres et d'arbustes. Les pépiniéristes ont habituellement un bon choix de plants à rocaille.

Rendez la rocaille attrayante aussi en hiver en utilisant des plants à feuilles persistantes, nains et vivaces.

ROMARIN. (*Labiatae, Rosmarinus officinalis*). Cet arbuste à feuilles persistantes est apprécié surtout pour ses feuilles odorantes. Il porte de minuscules fleurs bleu pâle et des feuilles vert foncé.

La plante sert de condiment et son huile, en parfumerie. C'est un constituant essentiel de l'eau de Cologne.

L'huile de romarin se trouve dans toutes les pharmacopées.

ROSA CAMELLIA. Camélia. Cette plante décorative, originaire de la Chine, est maintenant naturalisée en permanence. Elle est appréciée pour son feuillage persistant, généralement vernissé, et ses immenses fleurs blanches, au parfum riche de gardénia.

ROSES. Les roses n'aiment pas le buis dont les racines ligneuses, à grand étalement, se mêlent à leurs racines. Mais l'ail, les oignons et les autres membres de la famille des oignons sont bénéfiques.

ROSE, ESSENCE DE. Une toute petite fiole d'une once de ce fluide jaune verdâtre — l'essence de roses est utilisée dans les parfums les plus chers du monde — a plus de valeur que l'or! Le précieux liquide concentré (il faut plus de 100 000 roses pour en produire une once) provient de l'unique Vallée des Roses, où le sol et le climat se sont conjugués pour faire le parfum de rose le plus fin du monde.

Traitée comme potion magique, l'essence est gardée sous clé dans des chambres fortes de banques et des coffres-forts à l'épreuve du feu et à température contrôlée. Les petits contenants sont assurés pour des milliers de dollars.

La rose cultivée dans la Vallée de Kazanlik, en Bulgarie, pour la préparation de cette essence est *Rosa damascena trigintipe-*

tala. Elle atteint une hauteur de trois à quatre pieds et n'a qu'une efflorescence par année.

ROSE, FAMILLE DE LA.   Cette famille est l'une des plus importantes du règne végétal et compte environ 2 000 espèces d'arbres, d'arbustes et d'herbes. Quelques-unes des fleurs les plus belles et la plupart des fruits de valeur lui appartiennent. Quelques membres de la famille sont: la pomme, l'abricot, la mûre, la cerise, l'églantine, la pêche, la poire, la framboise, la fraise et d'autres. La famille compte plusieurs plantes ornementales et certains bois sont utilisés en ébénisterie.

On utilise les roses miniatures pour créer des bordures exceptionnelles, des plates-bandes attrayantes. En pots, elles sont des points de mire sur les patios. Donnez-leur une terre grasse, et paillez-les en hiver.

ROSES RARES.   Il y a des espèces de roses que les botanistes ont découvertes dans différentes parties du monde et qu'ils se sont mis à cultiver. Ces roses sont des espèces fascinantes, du fait qu'elles ont toutes développé des caractères distinctifs qui leur permettent de survivre dans leurs habitats indigènes.

Rosa rubrifolia, un bel arbuste, est ainsi nommé parce qu'il est entièrement habillé de rouge.

Rosa roxburghil a des boutons qui ressemblent aux capsules épineuses du marronnier.

Rosa souliena fut découverte en Chine. Ses grandes cannes lâches traînent par terre sur une longueur de 12 à 20 pieds.

ROSE, SAVON DE. Conservez les restes de savon et broyez-les. Couvrez-les d'eau chaude contenant environ six gouttes d'huile de rose, et faites dissoudre lentement à feu doux. Versez dans un carton propre d'une profondeur d'environ un pouce et laissez durcir.

ROSIER DU JAPON. Ce sont les roses rugosa pures qui ont été développées à partir d'espèces trouvées, à l'origine, au Japon. Elles sont rustiques partout et résistent à la maladie. Ne les confondez pas avec les rugosas hybrides qui ont été développées par pollinisation croisée.

Les rugosas font de bonnes haies denses et enjolivent le pourtour d'un jardin. Leurs fruits contiennent plus de vitamine C que tout autre fruit, y compris l'orange. Leur parfum intense attire les abeilles.

ROTATION DES RÉCOLTES. La rotation des récoltes dans un jardin d'agrément est une façon de se prémunir contre l'invasion des insectes nuisibles. Il importe aussi de respecter les distances entre les plantes florales; celles-ci perdent de la vigueur si elles sont trop proches les unes des autres.

ROTÉNONE. Substance insecticide extraite de la racine de certaines plantes tropicales. Ce poison par contact et stomacal est souvent mélangé avec la pyrèthre. La roténone est peu toxique pour les humains et les bêtes. Comme la pyrèthre, elle ne peut être obtenue à l'état pur que dans les animaleries et chez les vétérinaires. On peut l'utiliser sans danger pour les récoltes et pour les plantes ornementales, mais la période de protection est courte.

RUBUS CHAMAEMORUS. RONCE. Cette vivace présente des pousses dressées à partir d'une racine rampante. Les fleurs sont solitaires, et les feuilles terminales sont à trois ou cinq lobes. Les baies servent aux mêmes fins que les fraises et sont très riches en vitamine C. Elles conservent leur valeur nutritive lorsqu'elles sont surgelées.

RUBUS IDAEUS. FRAMBOISIER. Peu nombreux sont ceux qui réalisent à quel point peut être bénéfique cette variété de la famille de la rose. Les fleurs sont vraiment rosacées, blanc pur, avec étamines prononcées. Les tiges sont étendues et épineuses: les fruits, rouge vif, deviennent plus foncés à maturité.

Les feuilles séchées, infusées dans 1 1/2 chopine d'eau, et qu'on laisse mijoter pendant vingt minutes, constituent un tonique durant la grossesse. On dit que cette infusion soulage le malaise du matin. Le feuillage et les fruits contribuent à faciliter la naissance et contribuent à la santé de la mère et de l'enfant.

RUMEX. Oseille. Les fleurs sont nombreuses, vertes ou teintées de pourpre, et se présentent en racèmes paniculés. Les jeunes feuilles tendres, excellente source de vitamines A et C, se dégustent en salades ou comme légume cuit.

RUTA GRAVEOLENS. Rue. C'est une herbe très amère, fortement aromatique, qui a déjà eu son importance en médecine. Plantez-la avec les roses pour déjouer le scarabée japonais. Elle est utile aussi avec les figuiers. Les chats, qui la détestent, ne toucheront pas aux meubles qui en auront été enduits. Elle éloigne les puces dans un lit de chien, et quelques brindilles suspendues dans une pièce repoussent les mouches. La rue et le basilic sont incompatibles.

RYANIA. Cet insecticide tiré des plantes fut découvert en 1943. Il est extrait des racines du *Ryania speciosa,* de l'Amérique du Sud. Il a peu d'effet sur les organismes à sang chaud.

Sans réduire nécessairement la population des insectes, il protège les récoltes en leur faisant perdre l'appétit. Il est recommandé lorsqu'il y a une infestation inusitée d'insectes et que l'horticulteur a l'impression qu'il faut prêter main forte à la nature.

S

SABLE VERT. Ce dépôt marin granuleux, malléable, contient environ 6 pour cent de potassium. Appelé aussi glauconite, c'est un silicate naturel hydraté de fer et de potassium, de couleur verte. Il est disponible chez plusieurs fournisseurs de fumier naturel.

SAINTPAULIA. Violette africaine. Sa beauté en fait une grande favorite des jardiniers d'appartement. Pour la multiplication, plantez les feuilles dans un contenant de margarine rempli de sol à empotage légèrement humide. Glissez le contenant dans un sac en plastique et fermez le sac. En peu de temps, de nouvelles plantes apparaîtront et formeront des racines.

SALIX DISCOLOR. SAULE DISCOLORE. Ses rameaux se garnissent de jolis chatons perlés. Coupez-les pour faire des décorations d'intérieur en janvier et février. Placez-les dans l'eau et voyez-les s'épanouir. Les enfants les trouvent amusants.

SALSEPAREILLE (*Smilax*). Ce groupe de vignes ligneuses ou herbacées a des racines tubéreuses robustes et des feuilles persistantes veinées. Les vignes portent de petites grappes de baies rouges, bleues ou noires. Certaines espèces donnent la salsepareille, drogue employée jadis comme tonique printanier. Elle sert aussi d'assaisonnement dans les liqueurs douces et les médicaments.

S. officinalis appartient à la famille de l'asperge. Les Indiens du Mexique utilisent depuis longtemps sa racine dans une concoction qui, selon eux, guérit l'impotence. En 1939, il fut découvert que la racine contient, de fait, de grandes quantités de testostérone. Aujourd'hui, l'hormone sexuelle mâle produite commercialement provient en bonne partie de cette plante.

SAMBUCUS. SUREAU. Le sureau est reconnu pour sa vertu répressive de certains insectes. Une ancienne méthode de prise au piège des chenilles de noctuelles consistait à placer des poignées compactes de pousses de sureau à tous les cinq rangs de culture. Les chenilles se prenaient dans ce piège et il était alors facile de les ramasser.

Le sureau est un patriarche puissant du monde végétal; partout où il se trouve il décourage les autres herbes. Son goût fétide répugne aux bêtes.

SAPONARIA OFFICINALIS. SAPONAIRE. Herbe à savon. Cette fleur voyante est presque trop facile à cultiver. Elle a la grande vertu de mousser; les feuilles blessées agissent comme du savon lorsqu'on les agite dans l'eau. Cette mousse peut servir à laver les cheveux.

La saponaire fut introduite au Nouveau Monde il y a plus de trois cents ans à cause de ses qualités saponines. Elle était très employée pour la lessive des soies fines et des lainages. Ses fleurs roses et blanches ressemblent à l'oeillet et couvrent la plante au cours de sa longue saison de floraison.

SAUGE (Salvia). Ces plantes sous-arbustives, de la famille des menthes, portent de grandes fleurs voyantes. *S. officinalis* est

114

la source de l'épice. Elles se cultivent pratiquement sans soins particuliers.

Le sauge est un assaisonnement délicieux pour la saucisse, le porc, le canard et la volaille.

Le sauge, une des herbes les plus faciles à cultiver, est utilisé à des fins à la fois médicinales et culinaires. Le nom vient du latin salveo, *sauver ou guérir.*

SAUPOUDRER, BOÎTE À. Une grande boîte à croustilles en fer blanc peut servir au saupoudrage des fleurs et des légumes. Faites des trous dans le fond et échappez-y quelques billes ou cailloux comme agitateurs; remplissez aux deux tiers de poussière insecticide; remettez le couvercle, et vous êtes prêt à faire face à l'ennemi.

SAUTERELLES. Le moyen biologique de contrôler les sauterelles, qui deviennent un problème de plus en plus sérieux, est le *nosema locustae.* C'est un protozoaire qui s'attaque spécifiquement aux sauterelles et à certaines espèces de grillons. Dissoudre dans de l'eau et ajouter à un mélange de son, puis disperser dans le jardin. Les sauterelles s'infectent en mangeant et meurent lentement. La recherche a montré une baisse de 50 pour cent d'une population en l'espace d'un mois. De plus, cet insecticide est transmis d'une génération à une autre par les oeufs.

Les sauterelles nuisent aux récoltes et ne concourent nullement à la pollinisation. Sans les abeilles, cependant, bon nombre de plantes seraient incapables de se reproduire.

SAXIFRAGA SARMENTOSA. S<small>AXOFRAGE</small>. De nombreux admirateurs ont cultivé cette plante en paniers suspendus ou boîtes de fenêtres. Les feuilles sont vert foncé, à nervures argentées à la face supérieure, et rougeâtres au revers. Les fleurs, blanc pur, sont groupées en racèmes lâches au bout d'une tige de un pied de hauteur. Les rosettes des feuilles produisent de nombreux stolons qui, dès qu'ils touchent le sol humide, prennent racine et produisent de nouvelles pousses. Cette plante réussit mieux en sol fertile, sablonneux, à lumière solaire tamisée.

SCARABÉE JAPONAIS *(Popillia japonica).* Ce scarabée bleu bronze, chatoyant, se nourrit de toutes les espèces de plantes ornementales. Une préparation de roténone est recommandée pour les contrôler. Dans les pelouses, traitez le gazon avec de la poussière de spores de bactériales, qui infecte les larves. Les scarabées peuvent parfois se prendre dans des pièges remplis d'huile de géranium.

116

SEDUM. *Orpin.* Ces plantes succulentes sont cultivées pour leur floraison décorative, la forme de leurs feuilles et leurs couleurs qui apparaissent en fin d'été. Plantez-les en vases de poterie, dans de vieilles chaussures ou en bottes, sur bois flottant ou autres «pots» originaux qui attireront l'attention, ou en rocaille. Elles n'exigent absolument aucun soin.

SEMPERVIVUM TECTORUM. Joubarbe — la poule et ses poussins. Cette plante croît sans soins dans des endroits ensoleillés. Elle est une des plus riches en espèces et variétés. Elle a besoin de peu de sol et est précieuse pour garnir les parties les plus sèches des rocailles et des rochers. Les Romains croyaient qu'elle protégerait de la foudre si elle couvrait une toiture.

SENECIO VULGARIS. Séneçon commun. Cette plante commune des endroits déserts et des pâturages porte des feuilles vert grisâtre, très découpées. Les fleurs, réunies en grappes terminales serrées, sont tubulaires, solides, jaunes, comme de minuscules chandelles. Cette herbe est riche en minéraux, surtout en fer. Les animaux la recherchent en guise de tonique, surtout la volaille; elle est un régal pour les oiseaux en cage. L'herbe possède de fortes propriétés révulsives et antiseptiques. Elle fortifie les yeux et réduit l'inflammation.

Le séneçon fait les délices des oiseaux en cage, et ils semblent en comprendre la richesse en minéraux.

117

SERPENTS. La variété inoffensive, soi-disant «de jardin», pour-chasse les insectes et n'est pas venimeuse. Sachez la protéger.

La plupart des serpents sont les alliés des jardiniers. Ils se nourrissent en abondance d'insectes nuisibles.

SÉSAME. *(Sesamum indicum).* Cette fleur minuscule, mais exquise, est rose ou blanche. On la cultive surtout pour ses grai-nes délicieuses qui servent à l'assaisonnement du pain, des gâteaux, des bonbons et des biscuits. Son huile est semblable à celle de l'olive.

SEXE. Le premier botaniste à démontrer que les fleurs avaient un sexe et que le pollen est essentiel à la fertilisation et à la for-mation de graines fut un Allemand, Rudolf Jakob Camerarius, qui publia son *De Sexu Plantorium Epistula* en 1694. La contro-verse animée engendrée par ce livre se poursuivit pendant une génération avant qu'il soit établi que les plantes avaient des orga-nes sexuels et avaient droit à une sphère plus élevée de la création.

Plantes bisexuelles. Produisent à la fois les ovules et le sperme. Aussi, une fleur qui porte à la fois les étamines et les pistils.

Plantes unisexuées. Les étamines et les pistils sont portés par des fleurs différentes.

Plantes monosexuées. Les étamines et les pistils sont portés par des fleurs différentes, mais sur le même plant.

SILPHIUM LACINIATUM. PLANTE BOUSSOLE. Le nom grec désigne le jus résineux de ces plantes. Les chasseurs des Prairies furent les premiers à remarquer cette plante dont les feuilles pointaient exactement vers le nord et le sud. Les pétioles, en s'inclinant, font pointer les feuilles de cette façon, leur permettant de se protéger contre les rayons solaires directs du midi.

S. perfoliatum porte des fleurs jaunes, et les feuilles se rejoignent pour former une coupe autour de la tige.

SOINS INTENSIFS. Il peut être avantageux de réserver un endroit à l'abri, sous des arbustes, où les plantes peuvent passer l'été en sécurité, ou près d'un balcon ou d'un patio, pour partir les semis ou les boutures, ou encore un châssis froid pour les jeunes plants. Ces divers endroits peuvent aussi permettre de ramener à la santé des plantes qui auraient eu la vie difficile.

Placez aussi en ces endroits des plants supplémentaires pour remplacer ceux qui doivent être déterrés.

SOL MAL PRÉPARÉ. La plupart des plantes mal plantées n'ont guère de chances de survie. Trop nombreux sont les gens qui placent une plante de 10 $ dans un trou de 1 $. Les plantes ont besoin de bonnes assises.

Les achats de plantes sont souvent faits par impulsion, sans penser à l'endroit où elles doivent être placées, à leur grandeur rendues à maturité ou à leur réaction en compagnie d'autres plantes.

SOL SABLONNEUX. Le sol sablonneux n'est pas nécessairement un problème si le choix des fleurs est judicieux. Votre pépiniériste saura vous renseigner à ce sujet.

SOLIDAGO ODORA. VERGE D'OR. La verge d'or au parfum d'anis est une agréable plante à breuvage. Cueillez les feuilles quand la plante est en fleur, et utilisez-les fraîches ou séchées, accompagnées de menthe poivrée.

Ces plantes sont aussi médicinales. L' Amérindien s'en servait pour combattre le mal de gorge et la douleur en général. Elle est recommandée aujourd'hui par les herboristes comme sudorifique dans les cas de rhume et de toux. Elle peut aider également à soulager les douleurs rhumatismales.

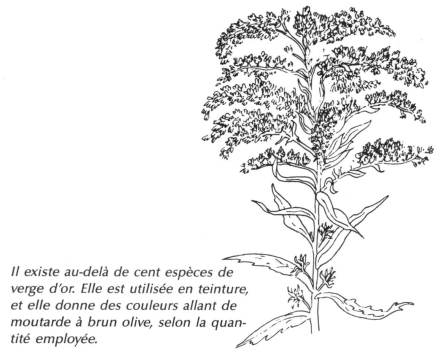

Il existe au-delà de cent espèces de verge d'or. Elle est utilisée en teinture, et elle donne des couleurs allant de moutarde à brun olive, selon la quantité employée.

SOPHORA SECUNDIFLORA.   Les belles feuilles vert brillant et le spectacle des fleurs liliacées au parfum du pois de senteur, en inflorescences pendantes, sont très impressionnants. Cette plante, excellente pour les jardins paysagers, pousse particulièrement bien en sol pauvre en calcium, et tolère bien la chaleur et la sécheresse.

Les Mexicains se servent de ses grains pour fabriquer des colliers. Ils sont cependant vénéneux.

STAPELIA.   Ce cactus ressemble à de la charogne et en a l'odeur, ce qui attire les mouches de loin.

STATICE *(Limonium).* LAVANDE DE MER.   Les tiges rigides des fleurs portent littéralement des centaines de fleurs délicates réunies en panicules ramifiées. Le statice fait une excellente fleur séchée et son port gracieux dans le jardin est remarquable au milieu de fleurs plus grandes.

SUCRE. Le sucre tue les nématodes en les déshydratant. Cinq livres de sucre par cent livres de sol les tuent en dedans de vingt-quatre heures. Les champignons utiles sont aussi les ennemis des nématodes et beaucoup d'humus favorise leur croissance.

SYMPHYTUM OFFICINALIS. Consoude. Cette plante contribue depuis des siècles à la guérison des fractures. Elle est utile aussi pour les cas de maladies pulmonaires, ulcères d'estomac, ruptures externes, brûlures et esquilles. Les feuilles font un cataplasme pour les meurtrissures, les enflures et les foulures.

En plus d'être médicinale, la consoude dans le jardin est bénéfique aux autres plantes — sorte de «docteur des plantes». Ses racines profondes n'enlèvent pas les minéraux de surface aux voisines. Elle garde le sol riche et humide et ses larges feuilles sont une protection contre les rayons ardents du soleil. La consoude est riche en vitamines A et C.

T

TABAC. Le tabac, comme pesticide général, est en usage depuis longtemps. Vous pouvez acheter des graines pour cultiver le vôtre. En poudre, il est recommandé pour les plantes en pot. La nicotiana n'affecte pas la santé.

Si la fumée de tabac est nuisible à la santé des humains, elle l'est aussi à celle des plantes, qui risquent d'attraper des virus au contact des mains des fumeurs.

TACCA CHANTRIERI. Plante chauve-souris. Certains prétendent que cette plante a «la fleur la plus noire du monde». On l'appelle parfois la Fleur du diable, probablement à cause de l'air maléfique des yeux qui semblent suivre nos moindres pas. Il arrive que sa curieuse inflorescence ressemble à une chauve-souris. Pour d'autres, elle a l'allure d'une méduse aérienne. Elle est certainement une fleur imposante et un trésor pour ceux qui cherchent à cultiver quelque chose hors de l'ordinaire.

TAGETES. Soucis. Les soucis répriment les nématodes aussi bien dans le jardin d'agrément que dans le potager. Ils sont particulièrement utiles avec les chrysanthèmes et les dahlias. Le brunissement des feuilles inférieures signale la présence de nématodes foliaires.

On appelle les soucis
«l'herbe du soleil». C'est
une plante qui s'allie bien
aux autres parce qu'elle
éloigne les nématodes.

TAILLE. Les arbres ou arbustes ornementaux qui fleurissent tôt forment leurs bourgeons en été ou à l'automne. N'effectuez donc la taille que durant le mois qui suit la floraison.

TANAISIE *(Tanacetum vulgare).* La tanaisie projette un arôme fort et amer. Le terme latin *tanacetum* provient d'un mot grec qui indique l'immortalité, parce que les fleurs sèches ne se fanent pas. L'huile distillée éloigne les mouches et les moustiques. La plante a été utilisée contre les vers intestinaux (oxyuri) et les spasmes des intestins. Les Russes s'en sont servis comme substitut du houblon dans la bière et en ont enduit la viande crue pour éloigner les mouches. La tanaisie plantée près d'une entrée de maison dissuade les fourmis.

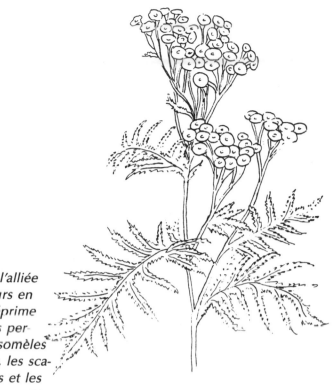

La tanaisie est l'alliée des horticulteurs en général. Elle réprime les fourmis, les perceurs, les chrysomèles du concombre, les scarabées japonais et les punaises de la courge.

TERRARIUMS. Les terrariums sont fascinants et n'exigent pas de soins particuliers. Vous pouvez préparer votre propre mélange de sol de plantation ou l'acheter tout fait et l'ajuster en fonction des plantes que vous avez l'intention de cultiver.

Nettoyez le récipient à fond. Étendez une couche de fond d'un pouce environ de perlite humide. Saupoudrez ensuite une fine couche de charbon de bois. Ajoutez le mélange de sol et créez votre paysage en miniature.

Placez les plantes en guise d'essai pour vérifier les proportions, puis plantez votre jardin miniature.

THÉ D'OSWEGO *(Monarda didyma)*. MONARDE. Cette vivace, qui peut atteindre une hauteur de quatre pieds, est pourvue d'un feuillage très aromatique. De grandes fleurs écarlate brillant de l'été à tôt l'automne séduisent les oiseaux-mouches. La qualité rafraîchissante et le parfum délicieux de cette plante nous donnent un indice de sa préférence parmi les thés de l'Amérique, de même que sa valeur esthétique dans le jardin d'agrément.

123

Le sauge ou le basilic, fraîchement moulus, ou des zestes secs d'orange ou de citron, ajoutent de la variété à la tisane.

THÉRAPIE. De nombreux professionnels de la santé préconisent le jardinage comme moyen de prévenir la dépression mentale. C'est une façon éprouvée par le temps, selon eux, de préserver sa santé morale et physique. Comme le disait un vieil ami, ce sont les vieux qui plantent les arbres!

THYM *(Thymus serpyllum et T. vulgaris).* Cette plante de grande valeur est utilisée en médecine depuis l'aube du traitement aux herbes. C'est un antiseptique et un tonique puissant. Comme aphrodisiaque, il entre en scène avec une régularité presque monotone dans la littérature.

Le thym est la source d'une huile essentielle qui est la raison de ses propriétés antiseptiques et de vermifuge efficace. Cette huile, appelée thymol, se rencontre dans plusieurs préparations orthodoxes, telles que désinfectants, dentifrices et lotions pour les cheveux.

TIMBRES, FLEURS SUR. Les fleurs figurent parmi les six sujets les plus fréquemment illustrés sur les timbres du monde entier. La Suisse fut le premier pays à le faire. Maintenant, pratiquement tous les pays font de même.

TOUJOURS-VERTS. Les aiguilles contribuent à la richesse du sol et font un bon humus pour les azalées. Ce sont aussi de bons pare-vent.

TOURNESOL *(Helianthus annus).* C'est une de nos fleurs les plus précieuses. Ses fleurs brillantes et gaies se font un devoir de suivre le soleil. Les graines et l'huile deviennent de plus en plus populaires. Selon le docteur W. H. Graves, dans *Medicinal Value of Natural Foods*, les graines de tournesol peuvent soutenir la vie indéfiniment et ont un effet bénéfique sur les cas de vue déficiente, de mauvais ongles, de carie dentaire, d'arthrite, de peau et de cheveux secs, et de rachitisme. Elles donnent une excellente huile végétale pour la cuisine et les vinaigrettes, riche en vitamines B1, A, D et F. Que peut-on demander de plus à une plante?

TOUTOUS, LES CHERS. Les chiens et les chats ont des habitudes de propreté qui sont très nocives pour les pelouses, les arbustes et autres plants. Pour les en éloigner, répandre des boules à mites ou des flocons de napthe autour des endroits à protéger.

TRANSPLANTATION, CONSEILS. Les plants de fleurs et de légumes peuvent se trouver trop tassés si les graines ne sont pas assez espacées. La croissance est alors ralentie et les carottes se déforment.

Voici comment transplanter pour qu'il y ait le moins de choc possible:

1. Commencez quand les plantes sont petites; elles sont assez grandes quand elles ont de quatre à six feuilles.

2. Transplantez au coucher du soleil par temps couvert. Le vent peut nuire autant que le soleil.

3. Arrosez copieusement les pousses quelques heures avant de les transplanter.

4. Creusez les trous au préalable et remplissez-les d'eau.

5. Gardez le plus de sol possible autour des racines.

6. Transplantez un plant à la fois, et sans tarder.

7. Trempez le sol à chaque transplantation. N'attendez pas qu'un rang soit fini. Arrosez chaque jour pendant une semaine.

8. N'appliquez jamais d'engrais autour des plantes nouvellement transplantées. Les racines ne sont pas en mesure de l'absorber.

9. Si vous devez déplacer des pousses plus grandes, enlevez la moitié du feuillage pour prévenir une trop grande perte d'eau.

TRANQUILLISANTS NATURELS. Agréables en tout temps, les herbes sont particulièrement appropriées aux moments de tension émotionnelle. Celles qui agissent sur le système nerveux sont la camomille, la valériane, le romarin et la lavande. Pour un bain aux herbes, enveloppez des herbes dans de la mousseline et laissez infuser pendant au moins dix minutes. Vous pouvez aussi vous servir d'aiguilles de pin. Et, pendant que vous vous détendez, sirotez une délicieuse tasse de camomille chaude. La verveine est aussi fort appréciée.

TRÈFLE. Le miel de trèfle est délicieux et c'est une des saveurs les mieux connues.

Le trèfle fixe l'azote de l'air à l'aide de bactéries sur ses racines. Lorsqu'il est labouré, il enrichit le sol d'azote.

L'infusion de trèfle rouge est exceptionnellement bénéfique aux serins. Infusez 2 c. à thé dans une demi-tasse d'eau chaude et laissez reposer quinze minutes. Mettez-en quelques gouttes par jour dans l'eau du serin.

TROISIÈME ÂGE, HORTICULTEURS DU. Si on demande aux gens âgés pourquoi ils aiment le jardinage, ils répondront probablement que c'est parce qu'ils aiment faire pousser des choses, et que cette activité les oblige à vivre en plein air et à faire de l'exercice, ou que c'est tout simplement agréable.

TROPAEOLUM MAJUS. Capucine. Plante originaire de l'Amérique du Sud, sa floraison abondante, dans les tons de jaune, d'orange et de rouge, la rend très utile pour orner les clôtures, les treillis, les balcons et les terrasses. Elle préfère le plein soleil et le sol maigre.

TRUCS, PLANTES À. Parmi les fleurs du règne végétal se trouve la plante souris (*Arisarum proboscideum*). La spathe unique ressemble étrangement au derrière d'une petite souris à grande queue tournante.

Le mouron des champs à oreille de souris (*Cerastium arvense*) tire son nom de la forme de ses feuilles.

La guède (*Isatis tinctoria*) est une petite plante peu connue dont se servaient les Bretons pour se peindre en bleu.

La liatris pyenostachya est une plante à l'envers.

La plante obéissante (*Pohysostegia*) démontre son obéissance quand on touche à sa fleur. Elle ne bouge pas de la position qu'on lui donne.

TULIPA. Tulipe. Cette plante ralentit la croissance du blé.

TURNERA APHRODISIACA. Cette plante mexicaine et africaine est largement recommandée pour le traitement de l'impotence et pour son effet tonique sur le système nerveux. Les Aztèques s'en servaient comme aphrodisiaque. Laissez infuser une ou deux c. à soupe combles dans une chopine d'eau pendant cinq minutes.

U

U, JARDIN EN. Certaines fleurs, appelées sensibles, ouvrent le matin et ferment le soir. On croyait jadis que ce comportement s'expliquait par le lever et le coucher du soleil. Mais les hommes de science ont découvert depuis que ces fleurs possèdent une «horloge» naturelle.

Au cours des années 1800, on plantait des fleurs sensibles dans des jardins en forme de U. Ces jardins s'appelaient des horloges à fleurs parce qu'ils servaient à dire l'heure. Les fleurs étaient placées en fonction des heures où elle s'ouvraient et se fermaient les unes après les autres.

URTICA DIOCIA. ORTIE. Elle compte parmi les plantes dynamiques et rehausse la qualité du compost. Son *diocia* signifie que les organes mâles et femelles se trouvent sur des plantes différentes. Malgré les poils piquants de la plante, ses feuilles sont comestibles. Les laver et les faire cuire rapidement; aucune autre plante n'est aussi riche en fer.

L'ortie aide les autres plantes à résister aux poux, aux limaces et aux colimaçons par temps humide. Elle fortifie la croissance de la menthe et des tomates, et rehausse les qualités aromatiques de plusieurs herbes. Les fruits empaquetés dans le foin de l'ortie sont protégés contre la moisissure et se gardent plus longtemps.

V

VALÉRIANE *(Polemonium caeruleum).* La valeur de la valériane réside dans ses racines, qui sont creusées au printemps, avant que la plante n'ait commencé sa croissance. Faites sécher les racines, broyez-les et rangez-les dans des contenants hermétiques. L'infusion de valériane est utile dans les cas de désordres nerveux tels que crampes, maux de tête ou gaz d'estomac. La saveur n'est pas tellement agréable, mais elle est somnifère et tranquillisante.

La valériane séchée est bienfaisante pour les troubles de peau et produit un effet calmant sur le système nerveux.

VANILLE *(Vanilla).* L'extrait de ce groupe d'orchidées grimpantes sert à aromatiser le chocolat, la crème glacée, les pâtisseries et les bonbons. En dehors du Mexique la plante doit être pollinisée à la main, ce qui ajoute à son prix. En serre, elle a besoin d'une atmosphère tropicale.

VERATRUM. Varaire. Au temps de la colonie, c'était un insecticide sans danger et populaire contre les limaces, les chenilles et autres insectes foliophages. Il était utilisé en poussière ou dissous pour la pulvérisation: une once pour 14 litres d'eau.

VERBASCUM THAPSUS. Molène. La valeur de cette herbe médicinale est reconnue depuis longtemps par diverses cultures. Ce sont les feuilles fraîches et séchées et les fleurs fraîches qui servent à la préparation artisanale des remèdes. La molène est reconnue officiellement comme émollient, expectorant et astringent.

VERBENA. Verveine. La verveine était l'herbe sacrée des rites de l'antiquité; elle était supposée guérir la scrofule et la morsure d'animaux pris de rage, arrêter la diffusion du venin, détourner les antipathies et être un gage de bonne foi mutuelle. Elle était donc portée comme insigne par les hérauts et les ambassadeurs.

VER DE TERRE. Les déjections des vers sont riches en nitrates, phosphates, potassium et calcium — tous les éléments essentiels aux plantes. Les jardiniers de partout commencent à en réaliser la valeur pour l'obtention de légumes plus savoureux et plus nombreux.

VERDURES POUR SALADES *(Saxifraga punctata L.).* La tige florale, velue et sans feuilles, atteint une hauteur de quatre à vingt pouces. Les fleurs sont petites, ayant chacune cinq pétales blancs ou pourprés, en racèmes ouvertes au bout de la tige. Les feuilles destinées aux salades sont cueillies au printemps avant l'effloraison et sont une bonne source de vitamine C.

VERRUES. On attribue à un certain nombre de plantes la vertu d'enlever les verrues. On compte parmi ces remèdes l'huile de ricin, la sève laiteuse des pissenlits et celle des figuiers.

VIBURNUM OPULUS. Rose de Gueldre. Viorne pimbina. C'est une plante sauvage précieuse qui donne nourriture, eau et beauté, mais ce n'est pas une canneberge. Ces grands arbustes de six à dix pieds sont apparentés au chèvrefeuille et à la baie de sureau. Les inflorescences, plates, de trois à quatre pouces de largeur, composées de fleurs blanches, fortement parfumées, sont entourées de larges bractées. Les fleurs donnent des baies d'un rouge brillant qui deviennent plus savoureuses après avoir été touchées par le gel et qui restent suspendues à l'arbuste tout l'hiver. Les oiseaux les mangent, mais seulement en dernier ressort. C'est une excellente plante pour les jardins sauvages des amateurs d'oiseaux.

VICTORIA REGIA. Nénuphar. La plante fut nommée en l'honneur de la reine Victoria. Les feuilles rondes au bord relevé ont jusqu'à sept pieds de largeur et sont renfoncées par un merveilleux réseau de nervures capable de soutenir un poids de 150 livres.

Les fleurs immenses sont nocturnes; c'est un spectacle à couper le souffle que de les voir s'ouvrir en début de soirée pour se refermer le lendemain vers midi, pour ensuite disparaître sous l'eau.

VICTORIENS, JARDINS. Ce style de jardin redevient populaire. C'est un style qui favorise l'intimité et la beauté naturelle. De tels jardins comprennent des plantations d'arbrisseaux (y compris les exotiques), des passages de terrasse, et même un conservatoire, si l'espace le permet.

Un vent de nostalgie balaie le pays, ce qui fait ressurgir la popularité des jardins victoriens. Cette méthode de préparer des arrangements devient aussi plus fréquente.

VIGNES. Les vignes ont toujours leur place dans les jardins d'agrément. Elles sont souvent utilisées comme paravents, pour

129

créer de l'ombre ou comme protection pour d'autres plantes. On peut même en planter dans des paniers suspendus.

On prend souvent la parthénocisse à cinq folioles pour l'herbe à puce, qui en a trois.

VIGNES VIERGES.   Les vignes accrochées aux murs de maçonnerie ou aux treillis de murs de bois servent d'isolants. En été, elles font baisser la température intérieure en protégeant les murs contre les rayons directs du soleil. Choisissez des vignes à feuilles caduques (le feuillage tombe et laisse passer le soleil) et plantez-les près des murs qui font face au sud et à l'ouest.

Par temps froid, les vignes à feuilles persistantes sur les murs du côté nord servent de paravent et aident à garder l'intérieur plus chaud. Les vignes vierges ne sont pas à recommander pour les murs de bois, à cause de l'humidité qu'elles accumulent et qui peut détériorer le bois.

VIOLA. Violette.   La violette est une de ces plantes vraiment robustes; utilisez-la empotée, en bordures ou en plates-bandes.

VIOLA TRICOLOR. Violette tricolore.   C'est la pensée sauvage, vivace rustique mais éphémère. Semez les graines de cette charmante petite fleur à l'extérieur; elle n'exige pas de soins particuliers.

VIOLETTES. Nelson Coon, dans son ouvrage intitulé *The Complete Book of Violets*, a des choses intéressantes à dire au sujet des violettes. Par exemple: «Il existe des violettes avec tiges et d'autres sans tiges. Les premières portent des feuilles et des fleurs sur une tige centrale. Chez les autres, les feuilles et les fleurs croissent à partir des rhizomes.

Les violettes portent souvent deux types de fleurs, ouvertes au printemps et, plus tard, fermées ou cléistogames, sans pétales. Les fleurs ouvertes ont cinq pétales, deux supérieurs, deux latéraux et un inférieur plat qui guide les abeilles. Les fleurs fermées produisent des grains autopollinisés s'il n'y a pas eu de pollinisation croisée.»

Les violettes figurent parmi les «fleurs artillerie» — les cosses, lorsqu'elles mûrissent, éclatent et éparpillent les graines.

Les violettes sont tellement riches en vitamines C et A que Euell Gibbons les appelle «les comprimés de vitamines de la nature». Les fleurs, comestibles, sont trois fois plus riches en vitamine C que les oranges. Elles sont employées dans de nombreuses recettes délicieuses.

Rares sont ceux qui n'aiment pas les violettes. Toutes les espèces sont jolies, et les fleurs, comestibles, sont riches en vitamine C.

VITAMINE A. Voyez Carottes.

VITAMINES, ROSES. Les roses sont la fleur d'amour et nulle autre ne regorge de vitamines autant que la rosa rugosa. Ces roses ont les grosses fleurs d'églantine succulentes. Pour en faire une marmelade, faites tremper les fleurs durant deux heures en eau froide, laissez mijoter et filtrez. Mesurez la purée et ajoutez une tasse de cassonade pour chaque tasse de purée. Faites bouillir jusqu'à consistance épaisse. Versez dans des pots stérilisés et scellez.

W

WEIGELA. Caprifoliacées. Arbuste charmant à floraison estivale. Ses fleurs rosées nombreuses font penser aux fleurs de digitales et attirent les oiseaux-mouches. À planter en sol humide ensoleillé, loin des racines d'arbres. Étant donné qu'elles s'épanouissent sur le bois de l'année précédente, il faut les rabattre après la floraison.

WELWITSCHIA. Cette étrange plante africaine a un tronc court, ligneux, sur une large racine pivotante et s'étale comme un dessus de table sur une largeur de cinq ou six pieds. La plante fait penser à un champignon géant aplati. Elle porte une seule paire de feuilles vertes qui tombent du dessus. Elles ont deux ou trois pieds de largeur et souvent sont deux fois plus longues. Elles vivent aussi longtemps que la plante, mais les vents chauds les fendillent en lambeaux qui traînent par terre.

WISTARIA. Glycine. Cet arbrisseau grimpant vraiment magnifique gagne en beauté d'une année à l'autre. Tolérant la sécheresse, il pousse bien dans un endroit ensoleillé. *W. floribunda,* tour d'Ivoire, présente de longues racèmes de fleurs d'un blanc éclatant; en floraison il fait penser à une chute.

WOLFFIA PUNCTATA. Lenticule mineure. C'est la fleur la plus minuscule qui soit connue. Elle est longue de 1/50 de pouce et large de 1/63 de pouce. Les plantes qu'on perçoit à la surface des étangs sont sans racines.

X

XERANTHEMUM. Immortelle. Cette plante vivace intéressante, comme du papier, porte des fleurs doubles aux coloris variés. Elle atteint une hauteur de trois pieds et apporte une charmante contribution aux arrangements et aux tableaux encadrés. Coupez tout simplement les fleurs avant qu'elles ne soient complètement épanouies, enlevez les feuilles et suspendez-les la tête en bas dans un endroit sec.

Y

YUCCA *(T. Elata).* Savonnier. Le pédoncule du yucca arborescent est le plus long de tous les yuccas. Il est très ornemental et porte des fleurs liliacées blanc crème.

Il existe plusieurs espèces de yuccas. Les Amérindiens en broyaient les racines dans l'eau pour s'en servir comme savon pour les cheveux. On attribue leurs cheveux noirs, jusqu'à un âge avancé, à l'utilisation de cette préparation.

Les Amérindiens ont depuis longtemps utilisé les fibres des feuilles du yucca pour faire de la corde, des paillassons, des sandales, des paniers et du tissu grossier.

Z

ZANTEDESCHIA. Cette plante est cultivée en grande quantité pour ses spathes, qui sont en grande demande pour la décoration, surtout à Pâques.

Elle aime l'humidité et doit être cultivée en terre grasse qui ne se dessèche pas trop vite.

133

Les arums sont des plantes tellement jolies qu'il est difficile de croire qu'elles soient sauvages dans certaines régions. Et elles poussent aussi bien en appartement que dans le jardin.

ZIGADENUS VENENOSUS. ZIGADÈNE ÉLÉGANT. Parfois cultivée dans les jardins, cette plante vivace bulbeuse se trouve en-deça de 8 200 pieds dans les prés, les pâturages, les pentes ouvertes et le long des routes. Toutes les parties de la plante sont toxiques.

La variété quamash des Indiens eut à jouer un rôle vital dans l'histoire des Amérindiens comme aliment féculent de base. Ils apprirent à faire la distinction entre la plante comestible et la plante vénéneuse.

ZINNIA. ZINNIE. La zinnie est l'annuelle la plus facile et la plus satisfaisante à cultiver, et l'hybridation en a fait des sujets tellement élégants qu'elle mérite sûrement une place de choix dans tout jardin.

Les zinnias sont vifs et gais. Les anciennes variétés étaient belles à l'époque, mais de nos jours elles sont disponibles dans un arc-

134

en-ciel de couleurs allant du blanc au pourpre. On en trouve même plusieurs à fleurs bicolores différentes.

Le *Z. grandiflora* est un sous-arbrisseau spectaculaire en plate-bande et en bordure. Il forme un tapis de moins de six pouces de haut, complètement couvert de fleurs jaune foncé, de la mi-été à la fin de l'automne. Plantez cette parente des zinnias annuels en plein soleil.

DES ROSES POUR LA VITAMINE C

On attribue beaucoup de vertus à la vitamine C, en concentration plus forte dans les fruits de l'églantier que dans les oranges. Ces prétentions nous parviennent de bon nombre d'autorités dans les domaines de la médecine et de la nutrition et méritent donc qu'on s'y arrête.

La plupart des animaux, à l'exception de l'homme et des singes, sont pourvus des enzymes qui leur permettent de synthétiser leur propre vitamine C. Cette constatation amena les docteurs Irving Stone et Linus Pauling à spéculer que le dosage pour l'homme serait de l'ordre de 2000 mg et plus, et elle les porta à recommander de hauts dosages pour le traitement du rhume.

Le docteur Fred Kleiner, de Reidsville, Caroline du Nord, pour sa part, à la suite de recherches en clinique, affirme que la vitamine C s'avère efficace dans le traitement de diverses infections virales ou bactériennes. Elle est reconnue depuis longtemps comme essentielle à la formation du tissu conjonctif appelé collagène. Dans ce rôle elle protège les gencives contre le saignement, les vaisseaux sanguins contre les meurtrissures et accélère la guérison des blessures.

La vitamine C semble aussi neutraliser certains effets de la cigarette. On estime qu'une seule cigarette peut en faire perdre 25 mg. Un fumeur invétéré risque donc d'être déficient en vitamine C s'il ne prend pas de suppléments.

À la suite d'une étude auprès de 500 patients souffrant de douleurs lombaires, le docteur James Greenwood, Jr., de l'Université Baylor, trouva qu'un bon nombre d'entre eux ne furent pas obligés de se soumettre à des interventions chirurgicales après avoir pris environ un gramme de vitamine C par jour. Leur douleur revenait quand ils interrompaient le traitement.

Dans son livre intitulé *Super Energy Diet*, le docteur Atkins affirme: «Ma propre expérience m'a démontré que la vitamine C combat la fatigue, fatigue qui tendait à revenir lorsqu'un patient négligeait de prendre sa dose habituelle. Je la trouve parfois utile aussi dans le traitement de certaines affections allergènes telles que l'asthme et le rhume des foins.»

Gaylord Hauser, dans son livre *Treasury of Secrets: How to Stay Young All Your Life*, nous dit: «Des études intéressantes ont été poursuivies sur le rapport entre la vitamine C et les cataractes, l'opacité du cristallin des yeux. Il y a plusieurs années, le docteur Donald T. Atkinson, de San Antonio, Texas, a constaté que lorsqu'il persuadait ses patients habitués au porc, à la farine de maïs et au café, d'ajouter de la verdure, des oranges et des tomates à leur régime, de même que des oeufs et d'autres bonnes protéines, leur malaise disparaissait ou cessait de progresser.»

Ce ne sont que quelques-uns des bienfaits provenant de l'utilisation de la vitamine C découverts par les médecins. On nous dit, aussi, que parce que le corps n'emmagasine pas la vitamine C, la provision doit être constamment remplacée; il y a peu de danger de doses trop fortes puisque le corps élimine le surplus.

VOUS POUVEZ «CULTIVER» LA VITAMINE C

Certains fruits d'églantier, surtout ceux de *Rosa rugosa*, contiennent vingt fois plus de vitamine C que les agrumes, et les espèces sauvages scandinaves sont encore plus riches.

La rugosa produit une rose à pétale unique, très belle fleur en floraison et en fruit. Plantée à une distance de dix-huit pouces, elle forme une belle clôture vivante.

Soit pour une haie, soit pour une plantation spécimen, la méthode est pratiquement la même. Si possible, plantez la rugosa dès que vous arrivez. Pour des plantes individuelles, creusez des trous; pour une clôture, il est plus avantageux de creuser une tranchée de un pied de largeur sur un pied de profondeur. Mettez plusieurs pouces d'engrais ou de compost sous le niveau où doivent reposer les racines; ceci assure un départ plus vigoureux et des résultats plus rapides, et les roses produiront des fruits beaucoup plus tôt.

Les rugosas n'exigent pas beaucoup de soins, mais s'établiront plus rapidement si elles sont rabattues. Laissez trois ou quatre bourgeons ou noeuds de feuilles sur chaque tige. Les rugosas, comme les autres roses, répondent bien au paillage servant à maintenir la fraîcheur, surtout en été. En se décomposant, le paillis nourrit les plantes.

Afin de retirer le plus grand bienfait de cette source presque fantastique de vitamine C, rappelez-vous que plus vous cueillez de roses, moins vous aurez de fruits (qui atteignent la maturité après la chute des pétales). Cueillez les fruits lorsqu'ils sont complètement mûrs. S'ils sont orange, c'est trop tôt. S'ils sont rouge foncé, c'est trop tard. Dans les régions septentrionales, les fruits mûrissent après avoir été touchés par le premier gel.

Après la cueillette, faites cuire vos fruits immédiatement et rapidement pour éviter une trop grande perte de vitamine C. Si ce n'est pas possible, rangez-les au froid dans des contenants hermétiques.

Coupez les fruits sur la longueur pour enlever les structures granuleuses à l'intérieur. Ceci les débarrasse des poils qui les recouvrent. La pulpe peut être enlevée et mangée crue ou étuvée, ou elle peut servir à la préparation de confitures ou de gelées. La cuisson doit se faire dans des casseroles de verre ou d'émail.

On entend parler de plus en plus fréquemment de gens qui s'approvisionnent de vitamine C en cueillant les fruits de l'églantier, qui peuvent servir dans les gelées, les soupes, les sirops et la marmelade, et aussi dans les infusions.

LES FLEURS SÉCHÉES AGRÉMENTENT LES PIÈCES EN HIVER

Des arrangements de fleurs séchées égaient l'atmosphère d'une maison ou d'un bureau durant les mois froids de l'automne et de l'hiver. Profitez de l'automne pour ramasser des herbes sauvages, des légumes, des fruits, des fleurs, du feuillage et des herbes sèches le long des chemins, au marché et dans le jardin. Vous n'aurez que l'embarras du choix. À l'aide de produits spéciaux, vous pourrez préserver leur beauté et leur couleur presque indéfiniment.

Plusieurs plantes sèchent naturellement. De grandes tiges de molène, de chardon à foulon, de berce laineuse, et le sumac non vénéneux, les quenouilles et la patience peuvent être utilisés sans traitement, s'ils sont cueillis secs. Tremper les quenouilles, cependant, dans de la laque pour les empêcher d'éclater.

Cherchez des cosses intéressantes sous les faux acacias. Les pommes de pin font aussi des sujets intéressants. Et mettez de côté des cosses sèches de gombo cueillies à la fin de la saison.

Les grappes de graines d'oignons ou de poireaux ornementaux, aussi bien que le mille-feuille du jardin, sèchent naturellement, mais il faut les cueillir avant qu'ils se détériorent. Il est préférable de les récolter prématurément et de les laisser finir de sécher à l'intérieur. Suspendez-les sur des cintres ou placez-les tout simplement dans des récipients profonds.

Comment les suspendre

Groupez ensemble trois ou quatre tiges et attachez-les fermement. Ceci est nécessaire parce que les tiges rétrécissent en séchant et risquent de tomber. Utilisez des élastiques ou des attaches plutôt que de la ficelle. Suspendez séparément les plantes à tiges plus épaisses. La suspension doit se faire à l'envers pour garder les tiges et les fleurs droites.

Attachez-les de manière à ce que l'air puisse circuler librement sur toutes les surfaces. Tout endroit chaud et sec convient, du moment qu'il y a une bonne circulation d'air. Ne renfermez pas les plantes dans une garde-robe et ne les exposez pas au soleil pendant qu'elles sèchent. Normalement, les plantes prennent de huit à dix jours pour sécher.

Lorsque vous suspendez des fleurs, enlevez d'abord les feuilles. Plusieurs matériaux séchés durent beaucoup plus longtemps si on les vaporise une fois ou deux avec du fixatif pour les cheveux.

SÉCHAGE DES FLEURS

On obtient de meilleurs résultats lorsque les fleurs fragiles sont enfouies dans un produit spécial tel que le gel de silice. Il se vend des trousses pour le séchage des fleurs, mais vous pouvez utiliser votre propre préparation en mélangeant à parts égales du borax et de la farine de maïs jaune, ou bien, servez-vous tout simplement de sable sec.

Faites la cueillette de vos fleurs par temps sec, ne choisissant que celles qui sont en bon état, de préférence juste avant la maturité. Faites le traitement sans délai.

1. Coupez les tiges à un pouce des fleurs et enlevez ce qui reste de feuilles.

2. Fabriquez une fausse tige en trempant un bout de fil de fer dans de la colle Elmer. Insérez-le dans la base de la tête de la fleur près de la tige et attachez les deux à l'aide de ruban gommé.

3. Étendez du papier ciré au fond d'une boîte peu profonde de grandeur convenable.

4. Préparez le mélange de borax et de farine de maïs. Ajoutez trois cuillers à soupe de sel sans iode par pinte de mélange pour avoir une meilleure préservation des couleurs.

5. Étendez un demi-pouce de mélange au fond de la boîte.

6. Couchez les fleurs, la face vers le haut, et pliez le fil pour que la tête reste à plat. Tassez le mélange pour soutenir la tête.

7. Saupoudrez doucement le mélange entre les pétales jusqu'à ce que les fleurs soient couvertes. Ne les serrez pas et ne faites pas sécher plus qu'un rang à la fois.

8. Ne couvrez pas la boîte. Vérifiez après six ou sept jours. Une fois sèches, il ne faut pas laisser les fleurs dans le mélange.

9. Lorsque le séchage est terminé, enlevez doucement le mélange. Glissez ensuite soigneusement la main sous chaque fleur pour la sortir. Placez la fleur sur le mélange et laissez-la reposer pendant vingt-quatre heures pour que les pétales se raffermissent. Sans ce traitement, les pétales vont éclater. Pulvérisez ensuite d'une couche de plastique pour la préservation.

10. Gardez les fleurs dans des boîtes fermées, sur du papier de soie.

11. Conservez le mélange dans des contenants fermés.

À noter que les roses destinées au séchage doivent être cueillies alors qu'elles sont ouvertes aux deux tiers, sinon elles s'affaissent.

FEUILLAGE

Il est possible de préserver le feuillage coloré de l'automne à l'aide de glycérine. Les feuilles vont prendre une teinte brun foncé, mais elles demeureront tendres et flexibles. Il ne faut pas que le feuillage ait été dans l'eau avant ce traitement.

Les feuillages qui peuvent être traités avec succès comprennent ceux de plantes d'appartement, aussi bien que les matériaux de jardin et de fleuristes.

Il n'y a pas de règles rigides quant au choix des feuillages qui peuvent être préservés à l'aide de glycérine; il suffit que les feuilles ou les branches absorbent l'eau facilement et qu'elles soient vives et fraîches.

Préparez une solution de un tiers de glycérine et deux tiers d'eau. Remplissez un contenant à une profondeur de quatre ou cinq pouces. Tailladez ou écrasez au marteau environ un pouce du bout de la branche ou de la tige de la feuille pour faciliter l'absorption complète. Laissez dans la solution jusqu'à saturation. Cela est facile à déterminer puisque la feuille change de couleur. Rangez ensuite dans un endroit sombre et sec pendant environ trois semaines. Lorsque paraissent des globules de glycérine sur les feuilles, l'absorption est complète. Suspendez la tête en bas pour permettre à la solution de descendre jusqu'au bout.

L'addition de quelques gouttes de Clorox au mélange prévient habituellement la moisissure. Et la solution est réutilisable. L'absorption se fait plus facilement durant les mois d'été.

IMMORTELLES

Il est possible de toujours avoir des fleurs coupées colorées si on a recours aux immortelles qui sèchent sans difficulté. Coupez la fleur avant qu'elle ne soit complètement épanouie, enlevez les feuilles et suspendez-la la tête en bas dans un endroit aéré. Ces fleurs sont ravissantes en arrangements, dans des bacs ou en tableaux encadrés. Voici quelques suggestions:

Gomphocarpus fruticosus présente des fruits allant du bronze au jaune verdâtre sur des tiges de trois pieds. Utilisez cette annuelle, qui fructifie en août, comme fleur coupée et pour les arrangements.

Le statice, ou lavande de mer, est une fleur vivace. Utilisez-la fraîche ou séchée pour les bouquets légers et aérés.

L'acrolinum présente de riches nuances de saumon, d'abricot, de rose et de cerise avec teintes blanches ou crème. Les cueillir bourgeonnantes pour des bouquets séchés d'hiver, ou utilisez-les comme fleurs coupées. Les plantes produisent des branches et des fleurs sans difficulté et atteignent vingt-quatre pouces de hauteur.

Le chardon bleu, echinops, est une immortelle splendide. Il pousse à l'état sauvage et présente diverses nuances de pourpre.

Le xéranthème présente des fleurs doubles de plusieurs couleurs, de texture sèche.

Helipterum sanfordii porte un feuillage argenté et des fleurs jaunes papyracées.

L'amarante pousse bien en n'importe quel sol et n'est pas affectée par la sécheresse. Elle conserve bien forme et couleur.

L'ipomée *(ipomoea tuberosa)* est une fleur qu'il faut avoir! Le calice séché ressemble à une rose sculptée dans le bois, rigide et d'un beau brun satiné. Elle fleurit la deuxième année si multipliée par semis.

L'ÉCLAIRAGE DE NUIT AFFECTE LA CROISSANCE DES PLANTES

N'en ayant pas assez de la pollution par le bruit, de l'air et de l'eau, voilà qu'on vient de découvrir la pollution par la lumière! L'éclairage de sécurité, installé dans les cours arrière, perturbe l'horaire des plantes et les empêche de faire la distinction entre le jour et la nuit.

La quantité de lumière solaire requise quotidiennement par une plante s'appelle sa photopériode. Il existe des plantes qui s'épanouissent lorsque les journées sont courtes, et d'autres, quand les journées sont longues. D'autres encore sont neutres, étant pourvues d'hormones qui les font fleurir indépendamment de la durée de la journée.

Sous l'effet de l'éclairage de nuit, la croissance des plantes est modifiée parce qu'elles croissent au lieu de «dormir». Cela nuit aux arbres, particulièrement dans les régions septentrionales, parce qu'ils continuent de croître pendant les journées plus courtes de l'automne, plutôt que de cesser leur croissance en préparation de l'hiver. Un arbre qui croît tard dans la saison froide devient plus sensible et plus facilement endommageable. L'éclairage rend aussi les feuilles plus sensibles à la pollution de l'air.

Les lampes au sodium à haute tension sont deux fois plus efficaces (pour l'éclairage) que les lampes à vapeur de mercure, et elles émettent plus de lumière rouge et jaune. Les lampes au mercure, utilisées généralement pour l'éclairage des routes et des rues, émettent une lumière vert bleuâtre qui contient peu de rayons rouges et beaucoup d'ultraviolets. La lumière visible du soleil passe par la gamme du bleu au vert au jaune au rouge. C'est la région rouge du spectre qui règle la photopériode.

La chlorophylle pour la photosynthèse est activée par le rouge et le bleu. La région bleue est celle qui attire les insectes de nuit.

Des recherches effectuées par le Département de l'Agriculture des États-Unis indiquent que la partie rouge du spectre est celle qui déclenche la croissance. Au cours de la période de vingt-quatre heures d'une journée, le cycle clarté-noirceur provoque l'effloraison, la formation des branches, la dormance, la formation des bulbes et autres réactions des plantes.

Dans une pépinière de Beltsville, au Maryland, des tests ont démontré que les plantes éclairées au sodium croissaient plus rapidement et plus tard l'automne que des plantes du même âge qui n'avaient pas été éclairées la nuit. Un bon nombre de plantes éclairées, cependant, ne survivaient pas au printemps.

L'éclairage de nuit est aussi défavorable aux jardins, parce que les plantes ont besoin, elles aussi, de dormir. De façon générale, les plantes sont affectées dans un rayon de vingt-cinq pieds des lampes.

Il y a donc avantage, dans la mesure du possible, de situer votre jardin en un endroit plus favorable ou de planter des arbres moins susceptibles à l'éclairage de nuit.

LA CULTURE DES FLEURS SAUVAGES PAR SEMIS

Les fleurs sauvages sont vraiment épatantes, surtout les mélanges. Ceux-ci sont habituellement étiquetés d'après le climat ou la région géographique et contiennent entre six et douze sortes de fleurs différentes.

Les graines de fleurs sauvages peuvent être dispersées sur le sol, mais il est plus avantageux de prêter main forte à la nature en les râtelant légèrement dans le sol pour les protéger contre le vent et la pluie. Pour de meilleurs résultats, travaillez le sol et couvrez les graines d'une légère couche de tourbe. Gardez-les humides pendant environ six semaines. Sur les pentes abruptes, où il est plus difficile de conserver l'humidité, semez les graines dans une couverture de gravier ou de roche volcanique. Les pousses émergent entre ces matériaux, qui aident à conserver l'humidité et à établir les graines en place, donnant une chance aux graines de prendre solidement racine.

TEMPÉRATURE

La plupart des fleurs sauvages germent bien à des températures allant de 60 à 75 °F. Des températures plus élevées peuvent être nuisibles à certaines espèces. Cette sensibilité à la température est la méthode qu'utilise la nature pour prévenir la germination au cours de périodes chaudes et sèches, alors que les jeunes pousses auraient de la difficulté à survivre. Plantez des vivaces rustiques au printemps et en automne pour de meilleurs résultats. Les graines doivent être semées en un lieu à l'abri pour minimiser le danger d'érosion ou celui de se faire emporter par le vent. Plantez assez tard en automne pour être sûr que les plantes ne se mettent pas à germer avant le printemps, ou assez tôt

145

pour que les pousses aient le temps de bien s'établir avant le premier gel. Plantez au printemps lorsqu'il n'y a plus de danger de gel et, si possible, avant une pluie, ou arrosez pour assurer la germination.

DORMANCE

Les graines qui ne réussissent pas à germer dans des conditions favorables sont dites en état de dormance. Cet état n'est pas accidentel; les plantes survivent dans la nature à cause d'un mécanisme interne d'horlogerie qui retarde la germination jusqu'au moment où elles ont les meilleures chances de survie.

Certaines graines ne germent pas si elles ont été exposées au froid. La plante attend alors les conditions plus favorables du printemps suivant pour germer. Les fleurs sauvages qui ont une «dormance de température froide» peuvent être plantées à l'extérieur vers la fin de l'automne, ou vous pouvez leur faire «passer l'hiver» dans votre réfrigérateur en leur faisant subir un traitement de «refroidissement humide». Voici la façon de procéder:

Faites tremper les graines dans de l'eau à la température de la pièce pendant une période de douze à vingt-quatre heures. Mélangez-les ensuite dans un milieu stérile et humide tel que de la sphaigne, de la vermiculite ou du sable. Placez-les dans un sac de plastique, ou autre contenant non hermétique, et gardez-les dans le frigo à 40 - 50 °F, de trois à six semaines. Lorsque la période de refroidissement est terminée, plantez sans tarder à des températures relativement basses. Vous trouverez les instructions sur les emballages. La plupart des fleurs sauvages n'ont pas besoin d'une telle exposition au froid et elles germent sans traitement spécial.

PLANTATIONS MASSIVES

Si vous avez l'intention de faire des plantations massives de fleurs sauvages, voici comment obtenir de bons résultats:

Labourez le sol à une profondeur de six à huit pouces. Il devrait avoir une texture légère et granuleuse et être facile à drainer. Vous pouvez améliorer la capacité de rétention de l'air et de l'eau du sol en y mélangeant de la tourbe ou autre matière organique. Dispersez les graines uniformément et recouvrez d'une mince couche de tourbe (moins de un quart de pouce). Arrosez à fond par pulvérisation fine. Conservez une humidité uni-

146

forme pendant quatre à six semaines, réduisant progressivement les arrosages. Si la tourbe n'est pas utilisée comme couverture, râtelez légèrement les graines dans le sol. Les graines ne doivent pas être semées en profondeur.

ENDROITS SECS

Si vous projetez la plantation d'un endroit sec, achetez des mélanges comprenant des annuelles, des bisannuelles et des vivaces, dont la plupart germeront entre dix et vingt et un jours à des températures allant de 55 à 70 °F. La majorité de ces fleurs s'adaptent aux climats humides en sol sablonneux, bien drainé. Les vivaces peuvent survivre durant les hivers froids des régions septentrionales.

ENDROITS HUMIDES

Demandez à votre fleuriste de vous recommander les mélanges qui viennent bien en climats humides. Ce sont habituellement des vivaces rustiques.

LA RÉCOLTE DES GRAINES

Pour conserver les graines de vos fleurs sauvages, enlevez-leur la tête, mais sans déranger le système radical. Le choix du moment opportun est essentiel; si les graines sont récoltées trop tôt, leur survie laissera sérieusement à désirer. Un changement de couleur (souvent du vert au brun ou au noir) et une tendance à perdre des graines sont des indices fiables de maturité. Enlevez les graines et tamisez-les à plusieurs reprises pour les libérer de terre ou d'autres matières contaminantes.

FLEURS SAUVAGES ADAPTABLES À DE GRANDS ESPACES

Un bon nombre de ces fleurs sauvages s'adaptent bien à la restauration de grandes étendues de terrain. Leur culture ne présente aucune difficulté et, plus souvent qu'autrement, elles s'accommodent de climats et de sols différents. Votre fleuriste saura les identifier pour vous.

ROSES ANCIENNES ROMANTIQUES ET LÉGENDAIRES

Il fut un temps où les roses étaient différentes, moins dramatiquement belles quant à la forme et la couleur, mais infiniment plus odoriférantes. La plupart de nos roses actuelles en sont des descendantes.

La fragrance est le patrimoine en propre de la rose. On imagine difficilement une rose sans parfum. Même lorsqu'elle n'était qu'une simple fleur, elle était connue sous le nom de Reine des Fleurs. Ce prestige devait assurément lui être attribué à cause de son parfum sans égal.

Depuis quelque temps l'apparition de roses sans odeur, ou presque, rend les amateurs de fleurs mal à l'aise. Cette tendance, uniquement orientée vers la beauté, est déplorable.

Que signifie l'odeur pure des roses, qu'on est parfois convenu d'appeler «le vrai parfum de roses anciennes»? C'est la qualité en propre de la fameuse trinité: *Rosa centifolia,* rose centfeuilles: *Rosa damascena,* rose de Damas; *Rosa gallica,* rose de France.

Ce parfum ravissant, plusieurs hybrides perpétuels et quelques hybrides de thé en ont hérité, mais à un degré moindre. L'ancienne H. P. Général Jacquemont, qui vit le jour en 1852, est l'aïeule d'une longue lignée de roses au parfum délicieux, qui obtient la préférence de plusieurs.

D'autres variétés en sont dotées. Ce sont: Hugh Dickson, Château de Clos Vougeot, Admiral Ward, Alfred Colomb, Duke of Wellington, Col. Oswald Fitzgerald Hadley, portadown, fragrance, Étoile de Hollande, C. K. Douglas et flamingo.

Le parfum des roses est exhalé par les pétales. Les roses se présentent dans diverses teintes de rose et de cramoisi. Les roses rouges, probablement parce qu'elles sont issues des variétés anciennes, sont celles dont le parfum est le plus riche. Viennent ensuite les variétés roses. Les roses jaunes sont celles qui exhalent le moins de parfum.

CULTURE DE ROSES ANCIENNES

Les roses anciennes ne sont pas faciles à trouver. Votre fleuriste devrait pouvoir vous indiquer des sources.

Outre la fragrance, il y a un autre avantage à cultiver des roses anciennes. Un bon nombre résistent aussi bien aux gelées hivernales qu'aux chaleurs excessives de l'été; et elles s'adaptent bien aux effets des aménagements paysagers. Les roses sont faciles à cultiver, et à peu près n'importe où, pour autant qu'on observe certaines précautions.

N'achetez que des arbustes de première qualité, plantez-les au soleil dans un sol bien préparé, pulvérisez régulièrement, arrosez à intervalles corrects et enlevez les fleurs fanées.

Taille

Il n'est pas facile d'établir des règles claires et nettes eu égard à la taille et aux soins à prodiguer aux rosiers anciens. Chaque rosier ancien, rare ou hors de l'ordinaire, est un individu à types et habitudes de croissance différentes.

Les rosiers anciens, arbustifs ou d'espèces, ne devraient pas être taillés au printemps comme les hybrides de thé, parce que, en ce faisant, vous enlevez les rameaux qui auraient produit leur imposante floraison printanière.

Toutefois, les tiges faibles des rosiers à floraison permanente devraient être enlevées et les rosiers taillés pour leur donner la forme voulue. La taille est plus une question d'aération à donner aux arbustes qu'une question de forme et de rabattage. Les fleurs fanées doivent être enlevées pour encourager la croissance de nouvelles tiges florifères.

Traitez les variétés à floraison annuelle unique comme des arbustes florifères. Ne les dérangez pas et mettez de côté votre sécateur jusqu'après la floraison.

Quelques-unes des anciennes beautés ravissantes et des plus intrigantes ont des tiges qui sont naturellement tombantes sous leur propre poids. D'autres ont des cannes dressées, qui ne fleurissent qu'à la tête, si elles ne sont pas tuteurées ou taillées.

Pour obtenir une plante arbustive, à tiges multiples, raccourcissez les longues cannes d'un tiers et les cannes latérales de quelques pouces. Vous pouvez vous permettre cette opération jusque vers la fin de l'été, puis ne dérangez plus la plante avant que sa floraison du printemps ne soit terminée.

ET SI ON PRÉPARAIT UN POT-POURRI

La rose par excellence pour un pot-pourri est Rosa damascena trigintipetala, qui ne fleurit qu'une fois par année. C'est d'elle aussi que provient l'essence de rose. Plantez de l'ail ou des oignons avec vos roses; non seulement sont-ils des compagnons protecteurs, mais ils rehaussent le parfum des roses.

Cueillez les pétales de roses de Damas lorsque la floraison est abondante. Tassez-les dans un récipient de verre à couvercle hermétique. L'addition des minuscules boutons de De Meaux embellit le produit final et le rend encore plus odoriférant. Entre chaque couche de deux pouces de pétales, saupoudrez deux cuillers à thé de sel (sans iode). Ajoutez des couches de pétales et de sel tous les jours jusqu'à ce que le récipient soit plein. Rangez dans un endroit frais et sec pendant une semaine. Étendez ensuite les pétales sur des essuie-tout et étendez-les avec soin. Mélangez bien les ingrédients suivants et incorporez-les aux pétales dans un grand bol: 1/2 once de poudre de talc au parfum de violette, 1 once de racine d'iris, 1/2 c. à thé de macis, 1/2 c. à thé de cannelle, 1/2 c. à thé de clou de girofle, 4 gouttes d'huile de rose géranium. Ajoutez très lentement: 20 gouttes d'huile d'eucalyptus, 10 gouttes d'huile de bergamote, 2 c. à thé d'alcool. Retassez le mélange dans le récipient, resserrez le couvercle et mettez de côté pendant deux semaines pour permettre de mûrir. Il sera alors prêt pour la distribution sous forme de pots-pourris à l'occasion d'anniversaires de naissance ou pour Noël.

Ces produits se vendent, pour la plupart, dans les supermarchés. Pour les autres, votre botaniste devrait être en mesure de vous indiquer les sources d'approvisionnement.

Les roses les plus parfumées sont celles qui sont cultivées dans les endroits les plus ensoleillés et les plus protégés du jardin. C'est dans ces conditions qu'elles développent leurs huiles essentielles au plus haut degré. Cueillez les fleurs avant le soleil du midi, par journées chaudes, après deux ou trois journées sans pluie. N'utilisez jamais des fleurs inférieures et imbibées ou celles qui sont épanouies depuis quelques jours. Après une semaine en appartement, les pétales ne contiennent plus d'huiles essentielles.

LA TEINTURE AVEC LES COULEURS DE LA NATURE

Pourquoi utiliser des teintures naturelles? D'abord parce qu'elles sont attrayantes, et surtout à cause de la fierté de pouvoir dire: «C'est moi qui l'ai fait!»

Les matériaux qui peuvent se teindre sont nombreux, mais les meilleurs résultats s'obtiennent avec des tissus tels que la laine ou le coton. Commencez avec un échantillonnage facile.

Certaines teintures naturelles ne déteignent pas. Celles qui se décolorent peuvent être répétées, mais il ne faut pas s'attendre à des résultats identiques. La teinture en quantité est possible si vous avez suffisamment de teinture et un récipient assez grand.

Faites toujours votre teinture dans des bouilloires en émail. L'aluminium, l'étain et le fer altèrent les couleurs. Aussi, n'utilisez pas les mordants (mentionnés plus loin) dans des chaudrons qui servent à la cuisson parce que certains sont des poisons. Rangez-les de façon qu'ils ne soient pas accessibles aux enfants. De fait, plusieurs teintures de fleurs ou végétales sont très efficaces sans mordants, mais les couleurs sont moins permanentes et parfois moins vives.

Il existe probablement des centaines de fleurs, de jardin et sauvages, qui peuvent être utilisées pour la teinture, entre autres le coréopsis *(C. auriculata et C. calliopsidea)*, la racine de patience *(Rumex)*, la verge d'or *(Solidago)*, le chénopode *(Chenopodium)*, l'ortie de haies, la bétoine *(Stachys)*, le géranium sauvage *(G. robertianum)*, le cactus orchidée *(Epiphyllum)*, la pensée *(Viola tricolor)*, l'immortelle perlée *(Anaphalis margaritacea)* et l'iris *(Iris)*. Vous pouvez aussi vous servir de plusieurs fruits et légumes de votre jardin.

Les légumes qui font de la bonne teinture peuvent être servis à table et l'eau conservée pour le bain de teinture. Les épinards un peu trop cuits deviennent une purée de fantaisie et une belle teinture verte pour les lainages. Le chou pourpré est encore mangeable après une heure de cuisson et le bouillon est gardé pour la teinture. Le chou vous donnera plusieurs teintes de vert, selon la quantité utilisée.

Les oranges sont un véritable trésor. Utilisez le jus ou la pulpe, faites bouillir la pelure pendant une heure et vous obtiendrez une vive couleur orange!

Gardez l'eau dans laquelle vous faites bouillir les betteraves. Elle fait une belle teinture rose ou jaune verdâtre. Les betteraves sont fugitives et la couleur peut se flétrir quelque peu, mais le tissu garde sa fraîcheur. Pour une couleur de rose ou de lavande, essayez les canneberges — et utilisez les baies avec du sucre pour une sauce ou des conserves. Les écales des noix, surtout du noyer, font de bonnes teintures, après s'être servi de la chair pour des desserts.

Les mûres, les airelles, les bleuets, les fraises et les framboises produisent tous de ravissantes couleurs fortes. Pour un pourpre vif, essayez les framboises, l'équivalent de deux paquets de 10 onces suffit pour teindre 500 grammes de fil. Le jus de raisin congelé donne un pourpre vif et est facile à utiliser. Le jus en bouteille donne une teinte encore plus foncée.

Parmi les épices, la cannelle, le curcuma, le gingembre, le safran, le paprika, la poudre de cari et même la moutarde donnent des teintures vives allant des jaunes aux rouges. Faites des expériences avec l'origan, la ciboulette hachée et autres pour des coloris et des effets différents.

Le thé ou le café instantanés agissent rapidement et donnent des teintes intéressantes de brun. L'infusion du fruit de l'églantier produit un tanné rosé ravissant. Faites bouillir du café moulu dans un sac de mousseline avec de la laine pour obtenir un riche brun chocolat. On peut même se servir de tabac sous diverses formes pour les bruns foncés. Achetez des copeaux de hickory et faites-les tremper pendant une nuit pour obtenir le même brun riche que donnent les noix de noyer ou de hickory — et les copeaux se vendent moins cher! Pour un vert jaunâtre, essayez les graines de tournesol. Après les avoir fait bouillir, épandez-les à l'extérieur comme festin pour les oiseaux.

Le rayon des produits en boîte vous offre aussi des possibilités. Les épinards en boîte, les betteraves ou les bleuets, y compris le liquide dans la boîte, donnent de belles couleurs lorsqu'on la fait mijoter une demi-heure. Passez les légumes pour les repas, mettez votre laine bien détrempée dans le chaudron de teinture et vous obtiendrez un coloris enchanteur. Les cerises pour les tartes donnent un rose mitigé et n'exigent que trente minutes de cuisson. Faites tremper une boîte de groseilles durant une nuit et laissez mijoter pour obtenir une couleur gris perlé ou lavande.

Si vous n'aimez pas une couleur ou la trouvez trop pâle, teignez-la de nouveau dans un autre bain. Vous trouverez probablement la couleur encore plus intéressante.

Les mordants sont de rigueur si l'article à teindre doit être lavé souvent. Un mordant est un sel minéral qui fixe la couleur et la protège contre les effets du soleil et de la lessive. Si cela vous crée des problèmes, ajoutez une demi-tasse de vinaigre blanc ou de jus de citron, ou une cuiller à soupe de sel dans le bain de teinture. L'étoffe doit être lavée doucement à la main.

Les mordants pour la teinture peuvent s'acheter dans les pharmacies ou chez les fournisseurs de matières chimiques. Utilisez les quantités indiquées sur les étiquettes. Les mordants les plus faciles à trouver sont:

L'alun (potassium aluminum). Ceci ne change pas la couleur de la teinture mais effectue la fixation de la couleur au tissu. À utiliser avec de la crème de tartare (rayon des épices). La quantité requise pour une demi-livre de fil est 2 c. à thé d'alun et 1 c. à thé de crème de tartare.

Chrome (bichromate de potasse). Ceci fait ressortir les verts et les jaunes. Mais couvrez le chaudron parce que le chrome est sensible à la lumière, qui peut l'affaiblir. Mélangez 1 c. à thé de chrome et 1 c. à thé de crème de tartare pour une demi-livre de fil.

Sulfate de cuivre (vitriol bleu). Le sulfate de cuivre intensifie la teinture verte. Utilisez 1 c. à thé pour une demi-livre de laine.

Fer (sulfate ferreux ou rouille). Ceci rend les couleurs plus foncées. Le même effet peut s'obtenir en faisant bouillir une poignée de clous rouillés dans un sac de mousseline.

Étain (chlorure stanneux). L'étain rend les couleurs plus brillantes. Il peut être ajouté au bain d'alun pendant la seconde moitié du temps de cuisson. Rincer dans une eau savonneuse pour prévenir le durcissement de la laine.

Tentez des expériences pour avoir des surprises. Parfois un simple rinçage à l'ammoniaque domestique va donner une teinte unique. Un ravissant rose doux de canneberges devenant couleur chartreuse brillante! Après l'application du mordant, lavez le tissu ou la laine dans une lessiveuse.

Voici les étapes à suivre pour la teinture d'une demi-livre de matériel — multipliez si nécessaire:

1. Si vous utilisez des écheveaux de laine, attachez-les sans serrer à deux endroits pour les empêcher de se mêler. Il en est de même pour le fil.

2. Faites tremper les écheveaux ou le tissu durant au moins une heure pour prévenir le bariolage ou le tachetage de la laine dans le bain. La teinture s'absorbe aussi de façon plus égale.

3. Mettez votre bain de teinture dans un chaudron émaillé. Ajoutez suffisamment d'eau pour faire trois pintes. Faites mijoter le matériel pendant une heure ou jusqu'à l'obtention de la couleur désirée. N'oubliez pas que les couleurs paraissent plus foncées lorsque le matériel est trempé. Gardez le matériel submergé, à l'aide d'un goujon ou d'une cuiller en bois. La laine est légère et tend à flotter. Ne remuez pas le fil pour éviter de la mêler.

Remarque: le mordant doit être dissous dans une tasse d'eau environ et bien remué dans le bain, avant de teindre le fil ou le tissu.

4. Retirez l'écheveau une fois que la couleur désirée est obtenue. Pincez du doigt pour avoir une idée de la couleur lorsque le matériel sera sec. Rincez dans de l'eau chaude de la même température environ que le bain (un changement de température risque de faire rétrécir ou natter la laine). Rincez jusqu'à ce que l'eau soit claire et suspendez à l'ombre pour faire sécher. Si vous vous servez d'étain comme mordant, rincez d'abord à l'eau savonneuse avant le rinçage final. Chaque rinçage doit être fait dans de l'eau moins chaude que le précédent. Faites sortir l'eau doucement sans tordre. L'addition d'un adoucisseur de tissu à la fin rend la laine plus douce et duveteuse.

Après avoir acquis une certaine expérience, vous serez peut-être tenté de chercher des effets bigarrés. Par exemple, suspendez un écheveau sur un bout de bois de façon à en faire tremper une moitié dans un bain de canneberges et l'autre dans un bain de jus de raisin. Laissez mijoter chaque moitié le temps voulu. Retirez et rincez. Vous aurez de très belles couleurs douces qui vont bien ensemble. Il n'y a pas de limites aux combinaisons que vous pourriez imaginer.

La teinture à l'aide des couleurs de la nature est un passe-temps fascinant et gratifiant, et les coloris seront uniquement les vôtres.

PLANTEZ UN ARBUSTE
AUX PAPILLONS

Le lilas d'été *(buddleia)* est appelé arbuste aux papillons parce que les papillons sont très attirés par ses fleurs.

Un bon nombre de plantes qui attirent les oiseaux et les abeilles attirent aussi les papillons, mais il y a des fleurs, des arbustes et des vignes que ces «fleurs volantes» aiment plus que d'autres. C'est surtout le nectar de ces plantes qui les attire.

Les papillons choisissent par instinct une grande variété de plantes pour la ponte de leurs oeufs. Ce sont surtout des herbes, des mauvaises herbes et certains arbres; y sont compris les plantes ombellifères telles que l'anis et le persil; des mauvaises herbes telles que le trèfle, la verge d'or, les cochons de lait et les pissenlits; et des arbres tels que le saule, le peuplier, le bouleau et l'orme bâtard.

Les papillons sont aussi attirés plus par certaines couleurs. Ils aiment passionnément les fleurs jaunes et pourpres, ce qui se constate dans leur choix des mauvaises herbes. Les chardons sont mauves, le trèfle est mauve à pourpre rosacé, les pissenlits et les verges d'or sont jaunes.

Les papillons ne sont pas tellement tentés par les roses, les blanches en particulier, mais se précipitent vers l'arbrisseau de lilas le plus proche, préférant les pourpres aux blancs. Ils aiment aussi les soucis.

Les jardiniers qui veulent attirer les papillons devraient choisir des variétés qui les encouragent à se nourrir et non à se reproduire. À conseiller dans cette catégorie sont la giroflée jaune, l'alysse, l'oeillet de poète, l'ibéride, la mignonette, les zinnias et les phlox au parfum délicieux. Ou cultivez le pourpier, les papillons en raffolent.

Vous remarquerez par cette sélection que les papillons sont attirés plutôt par les fleurs plus simples, certaines au parfum intense, que par les hybrides qui ont été cultivées loin de leur développement naturel. Pour cette raison, un jardin qui attire les papillons est facile à cultiver.

Dans le sens le plus restreint, les papillons ne sont pas nuisibles. Ils ne peuvent ni mordre, ni mastiquer, ni piquer, et ils contribuent à la pollinisation de plusieurs espèces de fleurs. Ils sont rarement assez nombreux pour créer de réels dommages. Celui qui fait exception à la règle et qui est sérieusement nuisible est le papillon du chou. Il se trouve habituellement là où se cultivent le chou et les légumes de la même famille. Il existe en assez grande abondance qu'il n'est pas difficile d'en trouver les oeufs, les chenilles et les chrysalides. Ce papillon bien connu est blanc, aux ailes tachetées de noir. Au cours de leurs envolées au-dessus des champs, des prés et des jardins, ces papillons s'arrêtent sur une feuille de chou ou d'autres plantes de la famille de la moutarde et y déposent leurs petits oeufs jaunes.

Environ une semaine plus tard, il en sort de minuscules chenilles qui sont très destructives. On reconnaît leur présence par le dentellement des feuilles. Un contrôle sûr de ces vers est le Bacillus Thuringiensis. N'hésitez pas à l'utiliser puisqu'il ne s'attaque qu'à ces chenilles.

Les pires ennemis des papillons sont les mouches et les guêpes, qui pondent leurs oeufs sur la chenille ou à l'intérieur du corps. À l'éclosion, les larves dévorent la chenille. D'autres insectes, tels que les libellules et les mantes, dévorent de grandes quantités de papillons et de chenilles. Les araignées les emprisonnent dans leurs toiles ou les attendent à l'intérieur des fleurs. Ils sont aussi la proie des oiseaux, des grenouilles, des crapauds et des lézards.

À peu près la seule protection des papillons est leur coloration. Quelques-uns, comme le monarque, ont un goût amer qui répugne aux oiseaux. Et ce mauvais goût est annoncé par leur coloration.

DE BEAUX OEUFS DE PÂQUES, NATURELLEMENT

La coloration des oeufs pour la fête de Pâques est une vieille tradition dans plusieurs pays. Les méthodes ont varié, mais aucune n'est aussi ravissante et aussi simple que la vieille coutume allemande de l'emploi de matières colorantes naturelles. Et les oeufs colorés de cette façon ne présentent aucun danger pour la santé. Vous devriez pouvoir trouver la plupart de ces matières colorantes dans votre jardin d'agrément ou dans votre potager, sur la pelouse ou dans les bosquets et les champs de votre voisinage.

Conservez les pelures des oignons. Épluchez ceux-ci à mesure qu'ils sèchent et deviennent plus foncés, et gardez les pelures dans un sac à mailles serrées pour ne pas perdre les petites particules. Si vous avez une bonne provision d'oignons jaunes et rouges, séparez les pelures pour une plus grande variété de couleurs. Ne les faites pas cuire ensemble, parce que les résultats ne seront pas attrayants.

Le meilleur bouillon de pelures d'oignons se fait avec de l'eau de pluie ou de la neige fondue, que vous aurez recueillie dans des récipients de verre ou émaillés.

Préparez le bouillon en faisant mijoter doucement les pelures pendant une heure ou jusqu'à ce que l'eau devienne foncée. Laissez refroidir à la température de la pièce et ne retirez pas les pelures.

Pendant que le bouillon refroidit, sortez les oeufs du réfrigérateur pour les amener à la température de la pièce. Choisissez des oeufs blancs, les plus gros possible.

Trouvez un vieux drap ou de vieilles taies d'oreillers; ce tissu absorbe bien et permet à la couleur de pénétrer jusqu'aux oeufs.

158

Déchirez-en de grandes bandes, de un pouce de largeur sur une verge de longueur. Préparez une bobine de ficelle blanche mince, ou du fil à coudre, pour attacher le tissu autour des oeufs.

Pendant que les pelures cuisent et que les oeufs se réchauffent, apportez votre panier à l'extérieur et voyez ce que vous pouvez trouver. Toutes sortes de plantes, de fleurs, de feuilles et d'herbes séchées peuvent servir à la décoration des oeufs. Au début, choisissez des fleurs et des feuilles qui se colleront à plat sur les oeufs, pour obtenir une impression plus définie.

Étendez maintenant une grande serviette de bain sur votre table de travail. Placez à portée de la main une bonne paire de ciseaux pour couper le tissu ou les plantes à mesure que vous en aurez besoin. Tenez un oeuf dans la main gauche et glissez le tissu sous l'oeuf de façon à pouvoir le tenir du bout des doigts. Placez la fleur ou la feuille sur le tissu et pliez-le vers le haut pour qu'il soit bien serré contre l'oeuf. Continuez cette opération jusqu'à ce que l'oeuf soit tout couvert. Vous aurez peut-être quelque difficulté à couvrir tout l'oeuf les premières fois, mais avec le temps vous prendrez le tour.

Une fois que l'oeuf est enveloppé du tissu, attachez soigneusement le tout avec la ficelle. Ainsi, le tissu ne s'enlèvera pas dans le bain à colorier.

À l'aide d'une cuiller trouée, placez doucement les oeufs dans le bain. De trois à cinq oeufs suffiront pour un chaudron de quatre pintes. Faites cuire les oeufs comme tout oeuf cuit dur. Chauffez le bain lentement, le laissant mijoter huit minutes, pour que les oeufs puissent absorber le plus de couleur possible.

Sortez les oeufs, enlevez et remettez dans le bain les pelures qui adhèrent, et placez-les dans de l'eau à la température de la pièce.

Une fois que vous aurez imprimé la quantité d'oeufs voulue, enlevez les enveloppes et placez les oeufs sur du papier absorbant pour les faire sécher. Pour obtenir des oeufs brillants, vous pouvez les enduire d'huile à cuisson.

Si vous le désirez, vous pouvez écrire des noms sur les oeufs à l'aide d'un crayon de cire avant de les faire cuire. Vous pouvez même découper de petits dessins de lapins ou de poussins et les envelopper sur les oeufs avec les feuilles ou les fleurs. À noter que cette méthode de coloration est absolument inoffensive.

Les oeufs peuvent être préparés plusieurs jours à l'avance. Il suffit de les garder au réfrigérateur. L'huile redeviendra brillante une fois que les oeufs seront ramenés à la température de la pièce.

FLORAISONS NOCTURNES POUR TRAVAILLEURS DE JOUR

Pour ceux qui aimeraient jouir de leur jardin, mais passent leurs grandes journées derrière un pupitre, les fleurs nocturnes sont la solution. Un jardin peut être très invitant en soirée. Et les parfums des fleurs nocturnes sont à leur plus prononcé, ce qui attire les insectes de nuit, qui assurent la pollinisation.

Pour sa beauté et sa fragrance, plantez l'euphorbe marginée. Elle est un excellent choix pour une bordure de fond, puisqu'elle se dresse à une hauteur de deux pieds, se cultive facilement à partir des graines et n'exige pas de soins particuliers.

Les inflorescences de cette plante sont tellement mignonnes qu'il faut regarder de près pour les discerner. Elles se présentent en délicates rosettes au bout des tiges et dans les aisselles. Mais ce sont surtout les feuilles bordées de blanc qui les entourent qui offrent le spectacle le plus frappant.

Un autre choix pour le parfum et la beauté nocturnes est la rose. Devant l'euphorbe, plantez McGredy's ivory, d'un blanc étincelant, ou Sutter's gold. Elles sont belles en tout temps et exceptionnellement parfumées le soir.

Devant les roses plantez la nicotiana naine, en bordure. Choisissez les fleurs blanches au parfum de tubéreuse. Ce tabac florifère est facile à cultiver et ses fleurs apparaissent de juin à août.

Le jour, les longues fleurs tubuleuses paraissent lâches comme si elles étaient en train de faner, mais vers la fin de l'après-midi elles deviennent de grandes étoiles blanches qui donnent un délicieux parfum.

En fait, la plupart des fleurs nocturnes sont tubuleuses. Ce qui veut dire que le nectar au fond des tubes ne peut être atteint que par les insectes à très grande langue.

Un autre fait intéressant à noter est que certaines plantes se tournent vers la lune, comme le tournesol ou l'héliotrope qui se tournent vers le soleil, le jour.

Un autre excellent choix de fleurs nocturnes est l'ipomée, plante grimpante. En plus d'être intéressante, elle se permet d'être amusante. Elle fleurit lentement le jour et s'épanouit soudainement le soir, en se déroulant. C'est à ce moment qu'elle exhale son délicieux parfum qui attire les papillons de nuit.

D'autres plantes à floraison nocturne comprennent la primevère, la robuste pomme épineuse *(Datural)*, qui s'accommode bien de la chaleur estivale. La giroflée *(Mathiola bicornis)* en est une qui n'a l'air de rien le jour mais, le soir, les fleurs liliacées s'étalent et remplissent l'atmosphère de leur délicat parfum. Plusieurs chèvrefeuilles, le soir, ouvrent toutes grandes leurs fleurs et exhalent leur doux parfum qui attire les insectes de nuit.

Une autre plante populaire est le jasmin *(Cestrum nocturnum)*, arbuste tendre qui atteint une hauteur de cinq pieds et présente des fleurs tendres, crème-jaune, fortement parfumées.

Il ne faut pas oublier la Belle de Nuit *(Mirabilis jalapa)*, qui ne s'épanouit que par temps nébuleux en fin d'après-midi.

Un bon nombre de nos beaux lis de jour s'ouvrent en fin de journée et fleurissent toute la nuit.

Si vous aimez les spectacles nocturnes, pensez au cereus, au nénuphar de l'Amazone, à la gloire du matin, au rosier sauvage, au pavot d'Islande, à la chicorée bleue et au lin utile bleu.

UNE NOTE ARGENTÉE
DANS VOTRE JARDIN

Les feuillages gris offrent un contraste agréable avec les plantes brillantes de votre jardin. Les teintes argentées de ces plantes souvent négligées ajoutent une qualité lumineuse à l'ensemble du jardin. Par journées chaudes, elles évoquent une note de fraîcheur et de tranquillité. Et leur charme devient encore plus prononcé la nuit, alors qu'elles assument une apparence givrée au clair de lune.

Disposées avec une certaine habileté, les plantes à feuillage gris font ressortir les couleurs vives et accompagnent bien les pastels doux. Par exemple, la sévérité des géraniums rouge étincelant devient comme de la dentelle douce et élégante en compagnie de l'aristocrate centaurée *(Centaurea candidissima)*. Ces deux plantes ensemble en plein soleil offrent un spectacle dramatique à en couper le souffle.

Cette belle famille de plantes compte de nombreux membres. La cinéaire est une plante compacte de douze pouces de hauteur, à feuillage blanc pur. Elle est spectaculaire en bordure.

Si vous voulez une plante qui brille vraiment, essayez l'armoise, plante rustique distinctive, au feuillage de fougère, qui ne perd pas son éclat. Elle fait un parfait monticule d'environ un pied de hauteur sur 18 pouces de largeur. Elle brille dans les bordures et ajoute du contraste et de la couleur au jardin, surtout en compagnie des pétunias.

Un autre membre du groupe argenté est Centaurea gymnocarpa, dont les feuilles argentées, finement divisées, ont une texture laineuse.

Dans les rocailles, les céraistes sont la réponse par excellence, ou presque. D'un charme rare, avec leurs monticules serrés de feuilles argent fondant, les naines s'harmonisent bien avec les autres favorites de rocailles. Cineraria maritima lui fait une bonne compagne.

Ces fleurs sont utiles dans les mélanges avec d'autres fleurs parce que leurs feuilles sont recouvertes de longs cheveux qui absorbent les couleurs brillantes des voisines. Ce sont ces cheveux qui contribuent à l'effet argenté et, de plus, ils servent à protéger la surface des autres plantes, aidant à conserver leur fraîcheur et leur humidité. À noter aussi que presque toutes les plantes au feuillage argenté sont capables de résister pendant de longues périodes de temps à la sécheresse et à la chaleur intense, et sont rarement dérangées par les insectes.

Elles poussent bien en plein soleil, dans un sol léger et bien drainé, n'exigent qu'une faible quantité de compost, et sont elles-mêmes un paillis vivant protecteur pour les voisines.

Outre ces qualités, ces plantes se cultivent facilement à partir de semis et peuvent être semées directement à l'extérieur au printemps. Il ne faut pas oublier d'éclaircir les jeunes pousses afin de leur laisser assez d'espace pour leur développement. C'est pratiquement tout ce dont elles ont besoin en fait de soins. Utilisées principalement pour leur feuillage, il importe guère qu'elles ne fleurissent que l'année suivante.

INDEX

LECTURES COMPLÉMENTAIRES

- **Comportement des oiseaux de jardin,** *de Calvin Simonds.*

- **Le guide du jardinage,** *par Paul Pouliot.*

- **Le guide québécois de l'aménagement paysager,** *par Marc Meloche.*

- **Le guide québécois des annuelles,** *par Mark Cullen.*

- **Le guide québécois de l'émondage,** *par Mark Cullen.*

- **Le guide québécois du jardinage en pots,** *par Mark Cullen.*

- **Le guide québécois des légumes et baies,** *par Mark Cullen.*

- **Le guide québécois des mauvaises herbes, insectes nuisibles et maladies,** *par Mark Cullen.*

- **Le guide québécois des pelouses, arbres et arbustes,** *par Mark Cullen.*

- **Le guide québécois des plantes d'intérieur,** *par Mark Cullen.*

- **Le guide québécois des plantes vivaces et roses,** *par Mark Cullen.*

- **Le potager,** *par Jean Côté.*

- **Répertoire des oiseaux de jardin du Québec et de l'Amérique du Nord,** *par Docteur Noble Proctor.*

Ces ouvrages ont été publiés aux Éditions Quebecor.